MÉMO 4

Manuel A

Nicole Raymond
Suzanne Guillemette
Ginette Létourneau
Louise Bissonnette

GRAFICOR

MEMBRE DU GROUPE MORIN

175, boul. de Mortagne, Boucherville (Québec) J4B 6G4
Tél.: (514) 449-2369   Téléc.: (514) 449-1096

Données de catalogage avant publication (Canada)

Guillemette, Suzanne, 1953-

Mémo 1(-4) : manuel de l'élève

ISBN 2-89242-480-1 (niveau 4, série) –
ISBN 2-89242-476-3 (niveau 4, v. 1)

1. Lectures et morceaux choisis (Enseignement primaire).
I. Létourneau, Ginette, 1956-   . II. Raymond, Nicole, 1951-   .
III. Titre.

LB1564.C3G83 1990   448.6   C90-096194-5

MANUEL A

Collaboration
Ghislaine Bastien-Beauchamp
Hélène Boulet
Marie-France Choinière
Kristine Chainé
Michelle Leduc
Suzanne Lemay

Révision scientifique
Alain Parent

Révision linguistique
Mireille Côté
Liane Montplaisir

Conception graphique
Robert Dolbec

Illustrations et photos de la couverture
Arto Do Kouzian – Corel – Ministère du Tourisme – Jardin
botanique de Montréal – Bruno St-Aubin – Auberge de la
photo

© Les publications Graficor (1989) inc., 1996
   Tous droits réservés

Dépôt légal 2e trimestre 1996
Bibliothèque nationale du Québec

ISBN 2-89242-480-1 (série)
ISBN 2-89242-476-3 (v. A)

Imprimé au Canada   2 3 4 5 6 7 8 – 1 0 9 8 7

Table des matières

Bienvenue en quatrième année !

Dans *Mémo 4*, tu trouveras des symboles :

Les matières

📖 français,

🌐 sciences humaines,

🖊 sciences de la nature,

☺ formation personnelle et sociale.

Les étapes des sciences

? tu te poses des questions,

••• tu cherches, tu observes et tu expérimentes,

! tu dis ce que tu as trouvé.

Tu trouveras aussi des étiquettes-stratégies
qui concernent

M Je... les mots,

P Je... les phrases,

T Je... le texte,

📣 Je... l'oral.

ou encore, un aspect particulier
de ta démarche

Je... en français,

🌐 Comment faire ? en sciences humaines,

🖊 Comment faire ? en sciences de la nature.

Quand tu vois ce symbole :

près d'une carte ou d'une photo,
tu dois la remplacer par un
document de ta région ;
près d'un tableau, tu dois
sélectionner l'information qui
concerne ta région ;

▭▷ tu peux avoir à utiliser un document
reproductible.

Bonne rentrée !

Adieu vacances, bonjour école!

Mémo, Tonnerre et compagnie

• Trouve ce que chaque personnage a fait durant les vacances.

Je lis ce texte pour…

Il a été vedette dans un film sur les animaux disparus. Avec l'équipe cinématographique, il a tourné dans des cavernes, en montagne et au fond des bois. Il adore signer des autographes.

Ce personnage a attrapé le torticolis à la mer. Il n'avait jamais mis les pattes dans le sable d'une plage, ni dans l'eau salée. Il voulait tout voir et tout sentir. Sa tête était comme une girouette.

Il a étonné tous les experts du zoo de Saint-Félicien avec ses talents à l'ordinateur. Lui-même a été très surpris de voir là des humains circuler dans des cages. «C'est le monde à l'envers!» s'est-il exclamé.

Cet animal s'est rendu à Percé après quelques atterrissages forcés. Les vents sont parfois violents sur la côte. Là, il a surpris bien des gens avec son plumage coloré et sa façon… inhabituelle d'atterrir.

Il a été engagé comme animateur dans un terrain de jeux. Les enfants riaient à gorge déployée en le voyant imiter Milou, Beethoven et Biscotte. Mais Lassie était sa meilleure imitation. Wouf! Wouf!

Il a transformé sa planche à neige en planche à voile et il a passé l'été au bord du lac des Deux Montagnes. Il a participé à plusieurs compétitions.

Ce personnage a dévoré livre sur livre à la bibliothèque de son quartier. Un jour, en le voyant, quelqu'un s'est mis à crier… Il a dû s'enfuir à toute vitesse et se faufiler entre les rayons. À la bibliothèque, on le cherche toujours.

Ensemble, ils ont passé une semaine du tonnerre à la ferme. Les poules les ont accueillis bruyamment, les cochons ont partagé avec eux leur repas, les chevaux leur ont laissé un coin pour dormir. Quant aux vaches, elles ont d'abord été intimidées, mais rapidement elles les ont trouvés sympathiques. Le plaisir de cette semaine a cependant été un peu assombri au retour. Tous les deux ont découvert qu'ils avaient des locataires inattendus : des puces !

L'avez-vous vu cet été ? Il a fait fureur sur son vélo tout-terrain. Le meilleur moment, ce fut lorsque tous ses amis et lui se sont retrouvés pour une balade le long du canal Lachine. De nombreux enfants se sont joints à eux. Des amis de Flot les ont accompagnés du haut des airs et une foule de chiens et de chats les saluaient le long du parcours. On peut dire qu'il était le roi de la parade !

Illustrations: Bruno St-Aubin

Sélectionne...

1. Quelle activité associes-tu à chaque personnage ?

2. Quels indices as-tu utilisés ?
   Proviennent-ils du texte ou de l'illustration ?

Personnage	Activité	Indices du texte	Indices de l'illustration

Explique...

3. Dans la première devinette, quels mots utilise-t-on pour parler de Tonnerre sans le nommer ?

4. Dans les autres devinettes, quels sont les mots utilisés pour parler de chaque personnage ?

5. Quel est le sens des verbes *a tourné* (1re devinette) ?
   a dévoré (7e devinette) ?

Adieu vacances, bonjour école !

Commençons l'année avec la création d'une grande murale. Ce sera le premier portrait de la classe. Rédige deux courts textes pour nous raconter un événement marquant de tes vacances et tes projets pour l'année scolaire.

1. Planifie

Quels sont mes souvenirs ?
Quels sont mes projets ?

1.1.1 ▷

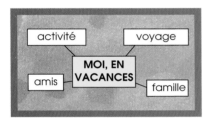

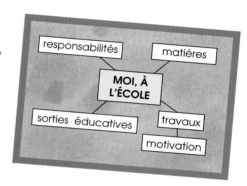

2. Rédige

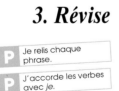
Je souligne les mots incertains.

Rédige deux courts textes
à partir de tes idées.

3. Révise

P Je relis chaque phrase.

P J'accorde les verbes avec *je*.

A ▷

J'aimerais être bon dans les sports. J'aimerais être chef...

Tu pourrais remplacer *j'aimerais* par *je voudrais, je souhaite...*

Illustration: Daniel Dumont

4. Diffuse

Copie tes textes en prenant soin d'écrire lisiblement.
Ajoute des illustrations, photos ou objets souvenirs et organise
le tout pour faire une murale attrayante.

• Que penses-tu de ton texte ?

Un peu de calligraphie

1. Rédige une fiche d'information comme celle qui suit en prenant comme modèle d'écriture les mots déjà écrits.

Nom :
Prénom :
Adresse :
Noms des membres de ma famille :
Animal domestique :
Mets préféré :
Activité préférée :
Vêtement préféré :
Type de livre préféré :
Matière scolaire préférée :
Sport préféré :
Plus grande qualité :
Plus grand défaut :

Illustration : Joanne Ouellet

2. Lis les fables d'Ésope et copie celle de ton choix.

Le lion et le rat

Capturé par des chasseurs,
le lion se trouva suspendu
dans un arbre.

Il lutta, se démena.

Le rat entendit ses gémissements,
accourut sur les lieux.

En rongeant la corde,
il le délivra.

La lune et sa mère

Un jour, la lune supplia sa mère
de lui coudre une robe.

Comment le pourrais-je?
répondit la mère,
il n'y a rien qui t'aille.

Un jour, tu es nouvelle lune,
un autre, tu es pleine lune;

et entre les deux, tu n'es
ni l'une ni l'autre.

3. Copie quelques phrases de ton choix tirées d'un livre de poésie ou de littérature pour la jeunesse.

Au sujet de...

Aaaah! Qu'est-ce que c'est?

Ne me dis pas que tu n'as jamais vu un tableau de verbes conjugués!

Avoir

Présent de l'indicatif	Imparfait de l'indicatif	Futur simple de l'indicatif	Conditionnel présent
j' **ai**	j' av**ais**	j' au**rai**	j' au**rais**
tu **as**	tu av**ais**	tu au**ras**	tu au**rais**
il, elle **a**	il, elle av**ait**	il, elle au**ra**	il, elle au**rait**
nous **avons**	nous av**ions**	nous au**rons**	nous au**rions**
vous **avez**	vous av**iez**	vous au**rez**	vous au**riez**
ils, elles **ont**	ils, elles av**aient**	ils, elles au**ront**	ils, elles au**raient**

*Sourdine **a** encore peur d'être découverte. L'été dernier, elle **avait** bien raison de se cacher…*

*Si Muscade et Biscotte ne se grattaient pas tant, ils **auraient** plus de plaisir à raconter leurs vacances.*

*Dans les prochains mois, Mémo et ses amis **auront** encore la chance de s'amuser ensemble.*

À l'essai !

Aimez-vous jouer aux dés ? Essayez les dés de conjugaison.
Écrivez le verbe *aimer* au temps et à la personne indiqués par les dés.

À ton tour!

1. Repère les formes du verbe *avoir* dans le texte. Classe-les dans un tableau semblable à celui-ci.

Présent de l'indicatif	Imparfait de l'indicatif	Futur simple de l'indicatif	Conditionnel présent

Pour la première fois, j'ai hâte de retourner à l'école. Vous avez du mal à me croire? Laissez-moi vous expliquer. Depuis le début de l'été, j'ai la responsabilité de mon petit cousin Maxime et il a plus d'un tour dans son sac.

Dès que j'avais le dos tourné, il avait, lui, l'occasion de faire une bêtise. Au supermarché, il criait tout à coup «Au feu! Au feu!» pour rire. Les clients et les employés, eux, n'avaient pas le goût de rire. Ils auraient bien voulu le voir disparaître. Par contre, au parc, il disparaissait plus vite que le lapin d'un magicien. Vous êtes-vous déjà caché dans une poubelle? Maxime, oui!

Après deux mois, croyez-moi, j'en ai assez. Vous auriez sans doute, vous aussi, envie de recommencer l'école. Enfin, j'aurai la paix et les parents de Maxime, eux, auront tout le loisir de s'amuser à leur tour!

2. Compose des phrases en prenant un mot ou un groupe de mots dans chaque colonne. Complète les phrases au besoin.

J'	as	faim
nous	aura	soif
ils	avait	hâte de...
mes parents	ont	peur
tu	avez	mal
elle	ai	besoin de...
mon frère	avaient	de la peine
vous	aurons	de la fièvre
ma sœur	avais	des soucis
	aurai	du plaisir
	a	le cafard
	aurez	
	aurions	

La merveilleuse découverte de Lascaux

Pierre Fanlac

En 1940, près de Montignac, petit village de France, quatre jeunes garçons cherchent un lieu qui pourrait leur servir de cachette. Ces garçons s'appellent Simon Coencas, Georges Agnel, deux Parisiens, Marcel Ravidat, le plus vieux, et Jacques Marsal. Ils décident d'explorer un trou dans les bois de Lascaux, près de leur village. On raconte que ce trou recélerait un trésor enfoui là depuis des siècles. Jacques raconte leur aventure.

—— *1* ——

Arrivés près du trou, il nous fallut d'abord dégager l'entrée des ronces qui l'encombraient avant d'apercevoir la faille dont le mystère nous avait si souvent fait rêver. Un seul désir nous habitait : descendre dans cette caverne.

J'invente des images et des bruits.

« Toi qui es le plus mince, me dit Ravidat, tu vas descendre le premier. »

Au fur et à mesure que mon corps s'engouffrait dans la faille, mon souffle s'accélérait et mes yeux s'agrandissaient de peur. Quand je sentis sous mes aisselles le bord tranchant de la roche, je compris que j'allais être seul dans le noir ; mes pieds battirent en vain dans le vide, sans trouver de points d'appui, et je me mis à crier :

« Non, non, je ne peux pas passer, je m'étouffe. C'est trop étroit. Vite, sortez-moi de là ! »

13

Ravidat me tira brusquement hors du trou. Sans dire un mot, il s'engagea dans la faille et se laissa glisser lentement.

« J'ai trouvé un appui solide, dit-il enfin. Je vais continuer. Tu peux descendre, Marsal, tu ne risques rien. »

M appréhension ?

Le fait de sentir mon grand ami Ravidat en éclaireur devant moi avait enlevé toute l'appréhension que j'avais pu ressentir tout à l'heure. Je m'engageai délibérément à la suite de mon ami. Les deux Parisiens, Simon et Georges, ne pouvaient que suivre. La progression fut pénible, car il fallait se laisser glisser la tête en avant.

P Je lis en groupant les mots.

M voûte ?

À part le bruit de nos respirations rapides et le roulement presque continu des pierres sous nos mains et nos pieds, le silence était angoissant. Après quelques mètres encore de descente, on s'aperçut que la voûte remontait lentement. On put se mettre debout et se grouper autour de Ravidat et de sa lanterne. Nous tenions enfin notre caverne mystérieuse où jamais personne n'avait pénétré avant nous. Cette idée que la grotte était à nous, que nous en étions les seuls propriétaires puisque nous l'avions découverte, nous remplissait de joie.

—— 2 ——

« Qu'est-ce qu'on va faire maintenant ? demandai-je.

– On va continuer d'explorer la grotte, répliqua Ravidat. Car c'est maintenant que nous allons savoir s'il y a un trésor ! »

Et soudain, Ravidat s'arrêta, poussa un cri en levant sa lanterne :

« Un bœuf, dit-il, et sa voix s'étrangla.

– Un cheval !

– Mon Dieu ! » murmurèrent les Parisiens.

Je ne dis rien. L'émotion m'empêchait de parler. Nous venions vraiment de découvrir un trésor !

Aucun mot n'était assez fort pour qualifier notre découverte. Tous ces animaux, connus ou inconnus, qui surgissaient de l'ombre, semblaient vivre à la lumière tremblotante de la lampe et nous entourer d'une ronde sans fin.

M surgissaient de l'ombre ?

« Nous venons de découvrir une chose extraordinaire que personne ne soupçonne, dit Ravidat. Je vous demande, d'abord, le secret le plus absolu. Nous allons tous jurer de n'en parler à personne. »

Et chacun jura en tendant le bras.

—— 3 ——

Le 13 septembre, on visita vraiment la grotte de fond en comble. Avec les quatre lanternes que nous avions, plus aucun dessin ne nous échappait : nous avons pu voir, presque dans son ensemble, la grande salle où tournaient ces multitudes d'animaux dans une sorte de sarabande pétrifiée.

M de fond en comble ?

M sarabande pétrifiée ?

—— 4 ——

Le serment de silence était trop lourd à porter. Le 15 septembre, nous étions plus de vingt garçons à l'entrée de la grotte et le lendemain, presque quarante. Il fut décidé d'aller voir Monsieur Laval, l'instituteur, et de lui demander de descendre avec nous.

Illustrations: Leanne Franson

Le grand jour arriva. Léon Laval fit son entrée dans la grotte. Les quatre garçons faisaient les honneurs et surveillaient sur le visage de l'instituteur l'émotion qui augmentait sans cesse au fur et à mesure de la découverte. Lorsqu'il fut arrivé dans la grande salle, son enthousiasme finit par dépasser le nôtre. Il percevait sans doute, mieux que nous, l'importance scientifique de notre découverte et l'énorme retentissement qu'elle allait avoir dans le monde.

P le nôtre?

Quelques jours plus tard, des savants certifièrent que les dessins avaient été exécutés par les premiers hommes. Les adolescents avaient le sentiment d'avoir apporté une contribution au patrimoine de l'humanité. Ils étaient fiers de savoir que leurs quatre noms resteraient attachés à cette grande découverte.

© Éditions Fanlac, Périgueux, 1968.

Illustration : Leanne Franson

Cherche à la bibliothèque des livres sur Lascaux ou sur la préhistoire.

Illustration : Bruno St-Aubin

Rappelle-toi l'histoire

1. Pour chaque partie de l'histoire (—— *1* ——), note ce que tu retiens et décris les émotions des personnages.

Partie de l'histoire	Ce que tu retiens	Émotions des personnages

Donne ton point de vue

2. Partages-tu l'avis de l'auteur lorsqu'il dit qu'il s'agit d'une grande découverte? Justifie ta réponse.

Explique...

3. Dans la troisième partie, que veulent dire les expressions *de fond en comble*? *sarabande pétrifiée*? Quels moyens as-tu utilisés pour comprendre ces mots?

4. À quoi sert le deux-points dans la phrase «Un seul désir nous habitait: descendre dans cette caverne.»?

5. Que remplacent les mots *le nôtre* dans la cinquième partie?

6. Dans la première partie, à qui s'adresse Marcel Ravidat lorsqu'il dit «Toi qui es le plus mince (...) tu vas descendre le premier.»? Comment le sais-tu?

☺ • Quelle règle les garçons se sont-ils donnée?

☺ • Quelles règles dois-tu respecter chaque jour? À quoi servent les règles?

Connais-tu des
détectives célèbres ?

Oui, moi ! Je suis le
célèbre détective
spécialisé en lecture,
Sherlock Sens !

Comprendre

Les lecteurs sont comme des détectives à la
recherche de sens.

Qu'est-ce qui peut leur faire perdre le sens ?

- Un mot nouveau.
- Une phrase longue ou difficile.
- Une idée inconnue.
- L'attention qui s'égare.

Quand ils ont perdu le sens,
les détectives-lecteurs s'affairent
à trouver d'autres indices.

Lire en groupant les mots

Quand on lit, on peut grouper les mots qui
vont ensemble. Cela permet de mieux comprendre.

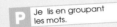

P Je lis en groupant
les mots.

*Sur les murs de la caverne, / on voyait
plusieurs animaux / qui ressemblaient à des
tigres grimaçants.*

À ton tour !

1. Lis le court texte qui suit et sépare chaque phrase en groupes de mots.
   Relis ton texte quelques fois en faisant des pauses. Que remarques-tu ?

Des dizaines de dessins

Ravidat marchait contre la paroi et il tenait
sa lampe à bout de bras, contre le rocher.
Nous nous sommes aperçus alors que sur
tout le chemin s'étalaient des dizaines et
des dizaines d'autres dessins, bruns, rouges
et noirs, que nous n'avions pas vus lors de
notre premier passage.

2. Relis une dernière fois le texte précédent et tente
   de voir dans ta tête les images décrites.

3. Classe en ordre alphabétique les mots de la rubrique «Mot à mot», une colonne à la fois. Classe ensuite tous les mots de cette rubrique.

4. Cherche dans ton dictionnaire les homophones des mots *août* et *mer*.

À vos marques !

1. Classe chaque groupe de deux mots en ordre alphabétique. Précise quelle lettre t'indique l'ordre approprié.

   Exemple: mer – moi   m<u>e</u>r   m<u>oi</u>

   a) agréable - autobus   *c*) troisième - quatrième   *e*) reposer - rentrer
   b) content - connaître   *d*) bonjour - bonsoir

2. Trouve les mots de la rubrique «Mot à mot» qui te permettent de compléter une grille semblable à celle qui suit.

Les douze mois de l'année

a) Le neuvième mois de l'année est ...
b) Le ... mois de l'année est avril.
c) Le septième mois de l'année est ...
d) Le ... mois de l'année est mars.
e) Le huitième mois de l'année est ...
f) Je connais les douze mois de l'...

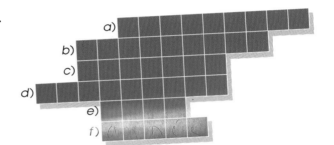

Découvre le mot écrit verticalement.
Compose une phrase avec ce mot.

Mot à mot

1.2.1 ▷

année	bonsoir	étudier	moi	reposer
juillet	raconter	mer	toi	bureau
août	content	autobus	soi	troisième, 3^e
septembre	contente	connaître	lui	quatrième, 4^e
bonjour	dîner	rentrer	se	agréable

Délire de lire

Passionné ? Modérée ? Indifférent ? Intéressée ?

Êtes-vous des lecteurs passionnés qu'il est difficile d'arracher à leur livre... ou des personnes que le livre laisse froides ?

B ▷

Réponds à un questionnaire qu'on te remettra pour connaître ton attitude générale envers la lecture. Tu la compareras ensuite avec celle des autres élèves de la classe.

J'en ai assez !

Michèle Marineau

 • Quelles sont les règles à respecter dans ta famille ?

• Classe les règles selon qu'elles visent l'harmonie, la santé, l'économie ou la prévention des accidents.

• Lis le texte pour savoir quel est le problème de Pascale et comment elle le résout. Toi, vis-tu un problème semblable ?

 T Je découvre le problème.

«Pascale, es-tu sûre d'avoir tes billets d'autobus ? Tu n'as pas oublié ton dîner ? As-tu 25 cents pour pouvoir téléphoner en cas de besoin ? As-tu ramassé ton coffre à crayons qui traînait dans le salon ? Et… »

Je ne sais pas ce que ma mère avait l'intention d'ajouter, mais je me suis sauvée avant de mourir étouffée sous une montagne de recommandations.

Ma mère a toujours été mère poule, mais cette année, c'est pire que jamais. Il faut dire que ma nouvelle école est pratiquement à l'autre bout de la ville. Pour m'y rendre, je dois prendre un autobus, le métro, puis un autre autobus. C'est un peu long, mais pas vraiment compliqué… sauf dans la tête de ma mère, qui réagit comme si je partais pour l'Australie ou pour le fin fond de l'Afrique.

 M fin fond ?

 T Je lis la solution.

Je me demande ce qu'elle dirait, elle, si quelqu'un passait son temps à lui donner des conseils. Tiens, c'est une bonne idée, ça ! Un papier, un crayon et…

Illustration : Hélène Desputeaux

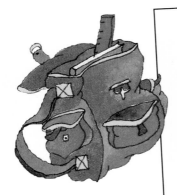

Conseils pour une bonne mère poule

- Chaque matin, avant le départ de votre fille, vérifiez le contenu de son sac afin de vous assurer qu'elle n'oublie rien d'important à la maison ou qu'elle n'emporte pas la gerbille à l'école par mégarde.

- Fournissez-lui un goûter nutritif et délicieux (salade de dinde, s'abstenir).

M s'abstenir?

- Après son départ pour l'école, rangez sa chambre. Ainsi, elle trouvera tous ses jouets et ses vêtements à leur place.

- À son retour de l'école, suggérez-lui de regarder la télévision ou de jouer à un jeu vidéo. Cela la détendra et vous permettra de préparer le souper en paix.

- Le soir, vérifiez qu'elle a fait ses devoirs, qu'elle connaît par cœur ses leçons, qu'elle n'a aucun document à vous faire signer, qu'elle est heureuse et en bonne santé.

- Suggérez-lui les vêtements qu'elle devra porter le lendemain. Tenir compte de ses goûts et de la mode.

- Encouragez-la à se coucher le plus tard possible, de sorte qu'elle s'endorme rapidement.

P de sorte qu'elle...?

P.-S. — Et vous, quand vous partez travailler, pensez-vous vraiment à tout? Avez-vous vos billets d'autobus? votre veste? votre parapluie? votre sac à main? vos lunettes? votre étui à lunettes? votre agenda? votre carnet d'adresses? vos dossiers? votre plus beau sourire?

Quoi? Vous trouvez tout cela un peu lassant? Vous préféreriez qu'on vous fasse confiance? Ah bon...

M lassant?

En lisant ma liste, ma mère a haussé les sourcils et esquissé un petit sourire.

«Si je comprends bien, tu veux que je te fasse confiance. Parfait! Seulement, ne viens pas te plaindre à moi le jour où tu auras la gerbille pour dîner, l'annuaire téléphonique à la place de ton livre de français ou…»

Je ne sais pas ce qu'elle avait l'intention d'ajouter, mais je ne l'ai pas laissée terminer. Je me suis jetée sur elle et je l'ai pratiquement étouffée de baisers.

 Je lis la fin.

Illustrations: Hélène Desputeaux

Raconte l'essentiel de l'histoire

1. Quel est le problème de Pascale?

2. Comment règle-t-elle son problème?

3. Comment se termine le récit?

Réagis…

4. Partages-tu l'opinion de Pascale au sujet du comportement de sa mère? Justifie ta réponse.

5. Que penses-tu de la solution de Pascale? Qu'aurais-tu fait, toi?

6. T'est-il déjà arrivé d'utiliser l'humour pour régler un problème? Dans quelles circonstances?

Explique…

7. Quels indices du texte pouvais-tu utiliser pour comprendre les mots *fin fond*? *s'abstenir*? *lassant*?

8. À qui Pascale adresse-t-elle ses conseils?

9. Par quels mots peux-tu remplacer *de sorte qu'elle* dans le dernier conseil?

Au sujet de...

Si les mots étaient tous invariables, ce serait plus simple. Vous ne trouvez pas ?

La nature des mots

1. Les mots peuvent être classés selon leur nature : nom, verbe, adjectif, déterminant, pronom, adverbe.

2. Certaines catégories de mots sont variables : nom, verbe, adjectif, déterminant et pronom. D'autres, comme l'adverbe, sont invariables.

Illustration : Bruno St-Aubin

À l'essai !

Lis le texte qui suit. Classe les mots en gras dans un tableau semblable à celui-ci.

Nom	Adjectif	Pronom	Verbe

«**Tu mettras** tes **bottes bleues**, il pleut ! **Prends** une boîte de **jus frais** dans le **réfrigérateur**. Ce soir, **nous allons** souper chez ta **grand-mère Solange**, alors ne traîne pas en chemin après l'**école**.»

Ça, c'est bien ma **mère** ! Elle n'arrête pas de me **dire** quoi faire. **Elle ferait** mieux de penser à elle. C'est la **personne** la plus distraite que **je** connaisse. Par exemple, elle se rend à son travail avec deux **chaussures** de couleurs **différentes** aux pieds. Elle **prépare** une **salade verte** alors qu'il y en a déjà une sur la table. Elle s'envole pour la **Floride**, mais **oublie** sa **valise** à la maison. **Vous voyez** le genre ?…

Illustration : Hélène Desputeaux

À ton tour !

Cherche les mots qui suivent dans ton dictionnaire. Trouve les deux natures différentes de chacun de ces mots. Tu découvriras que certains ont aussi plus d'un sens.

Exemple : a) cher : adjectif et adverbe

a) cher
b) sourire
c) manuel
d) pliant

e) solitaire
f) rêveur
g) rire
h) ciré

i) souper
j) fin

Illustration : Bruno St-Aubin

1. Repère quatre noms, deux adjectifs, deux pronoms et quatre verbes parmi les mots en gras. Classe-les dans un tableau.

Nom	Adjectif	Pronom	Verbe

Chez **Joëlle**, les **décisions** se prennent toujours en famille. Quand **ils** ne **réussissent** pas à s'entendre, les **membres** de la **famille** Bonneau **passent** au vote. La **fin** de **semaine dernière**, on avait prévu des **spaghettis** pour le **souper** du **dimanche**. Joëlle n'**aime** pas la **sauce** aux **champignons**, mais **adore** le **poivron vert**. **Louis**, c'est le contraire. Quant à son **père**, **il raffole** du **piment fort**, alors que sa **mère préfère** la sauce avec champignons, poivron et piment. Résultat: **ils** ont mangé des spaghettis quatre **jours** de suite, chaque **soir** avec une sauce **différente**!

Illustration: Johanne Pépin

2. Trouve l'intrus dans chaque case.

ajouter	doux	billet	il	long
ramasser	gentil	crayon	si	nouveau
soulier	mignon	salon	lui	bon
téléphoner	fidèle	heureux	elle	cœur
donner	sourire	mère	je	nutritif
demander	petit	montagne	tu	délicieux

Invente un jeu d'intrus regroupant des noms, des adjectifs ou des verbes. Propose-le à tes amis.

En sûreté, en sécurité !

- Comment le trajet de chez toi à l'école s'est-il déroulé ce matin ?
- Quels ont été tes comportements sécuritaires ?
- À quels éléments de signalisation routière dois-tu porter attention si tu te rends à l'école à pied ?

J'utilise un vocabulaire précis.

- Quelles règles de sécurité dois-tu respecter, si tu te rends à l'école en autobus d'écoliers ? en utilisant un autre moyen de transport en commun ?

- Pourquoi est-il important de respecter les éléments de signalisation et les règles de sécurité ?
- Que signifient les différents éléments de signalisation ? 1.4.1
- Pourquoi est-il difficile de respecter certains éléments de signalisation ? certaines règles ?

Quel temps fait-il?

? • De quoi parle-t-on quand on décrit le temps qu'il fait?

• Quel instrument permet de mesurer la température?

• Observe un thermomètre. Que remarques-tu?

• Qu'est-ce qui fait monter ou descendre la température d'un thermomètre?

Comment lire un
thermomètre?

La température se mesure à l'aide d'un thermomètre portant des graduations en degrés Celsius (°C).

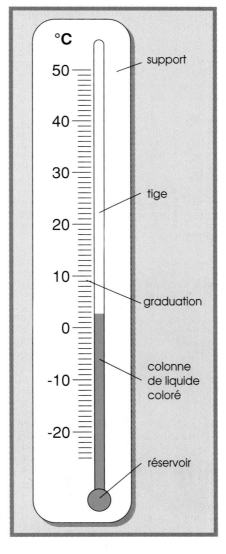

Quand je lis une
consigne, je…

Pour lire un thermomètre

1. Tiens le thermomètre en prenant soin de ne pas toucher le réservoir et de ne pas souffler trop près.

2. Place le haut de la colonne de liquide coloré vis-à-vis de tes yeux.

3. Attends que le liquide soit stabilisé et lis la graduation qui correspond au haut de la colonne.

4. Pour prendre la température d'un liquide, tu dois immerger le thermomètre dans ce liquide.

Illustration : Daniel Sylvestre

25

⟨✎⟩ ⟨?⟩ Combien de degrés?

Observe les thermomètres et lis la température indiquée sur chacun. Associe ensuite chaque thermomètre à la scène correspondante.

? • La température est-elle la même partout à l'extérieur ?

• Où la température est-elle le plus élevée: au soleil ou à l'ombre ? au sol ou plus haut ? à l'abri du vent ou en plein vent ? sur l'asphalte, sur l'herbe ou dans le sable ? près d'un mur ou loin d'un mur ?

• Comment peut-on le vérifier ?

 Comment planifier une expérience ?

••• **Faire une expérience**

1. Voici les données d'une expérience à faire avec deux thermomètres. Observe la fiche expérimentale qui suit. Quelles seront les conditions identiques pour les deux thermomètres ? Quelle condition variera ?

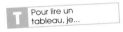 Pour lire un tableau, je...

Question: Est-ce que le vent influence la température ?

Anticipation: Je pense que le vent influence la température parce que...

Expérience:

	THERMOMÈTRE 1	THERMOMÈTRE 2
VENT	oui	non
HAUTEUR	30 cm	30 cm
SOLEIL	oui	oui
MUR	loin du mur	loin du mur
	° C	° C

Résultat:

2. Fais ta propre expérience. Prépare une fiche semblable pour répondre à une question que tu te poses sur la température.

3. Va à l'extérieur, avec tes coéquipiers, pour recueillir des données.

! • Présentez vos résultats à la classe.

• Que peut-on dire des résultats obtenus par la classe ?

• Qu'as-tu appris sur la température ?

• Relève, durant quelques jours, la température extérieure indiquée au thermomètre.

Comment reconnaître un nom ?

Est-il vraiment important de reconnaître les noms ?

Le nom

1. Le nom sert à désigner :
   - une personne, un animal, une chose,
     une fille, un oiseau, une maison
   - un sentiment, une idée et même une action.
     la joie, la pauvreté, la natation

2. Le nom est masculin ou féminin.
   un lac, une rivière

3. On peut mettre le nom au singulier ou au pluriel.
   un arbre, des arbres

4. On peut placer le mot **des** devant la plupart des noms.

5. Le nom est le noyau du groupe du nom.
   *les **prévisions** météorologiques*
   *les **prévisions** de la météo*

6. Le nom donne son genre et son nombre à l'adjectif et au déterminant qui l'accompagnent.
   les bons résultats
   les bonnes prévisions

Illustration : Bruno St-Aubin

À l'essai !

1. Quels sont les noms dans la phrase suivante ? Justifie tes réponses.

   Les météorologues utilisent des ordinateurs puissants et des photographies prises par satellite.

2. Trouve tous les noms contenus dans ce texte.
   Classe-les selon leur genre et leur nombre.

MASCULIN		FÉMININ	
singulier	pluriel	singulier	pluriel

Proverbes et prévisions

Certaines personnes croient qu'on peut prédire la température en observant les animaux. Mon grand-père avait l'habitude de dire : « Si les écureuils ramassent beaucoup de noix à l'automne, c'est que l'hiver sera difficile. » Grand-mère, elle, répétait : « Quand les chats et les chiens sont excités, l'orage approche. » J'ai lu dans un livre scientifique que la plupart des proverbes associés à la météo sont faux. Pour prédire la température, il vaut mieux observer le ciel que les animaux !

Illustration : Johanne Pépin

3. Trouve le noyau dans les groupes du nom qui suivent. Indique le genre et le nombre de chaque nom.

   a) une pluie abondante

   b) des vents violents

   c) un bel après-midi

   d) les prévisions météorologiques

   e) une belle journée ensoleillée

   f) quelques nuages

   g) un ciel gris et nuageux

   h) une chaleur insupportable

À *ton tour!*

1. Que vois-tu sur chaque illustration? Écris les noms dans un cahier et ajoute *un* ou *une* devant chacun d'eux.

Illustrations: Johanne Pépin

2. Vérifie le genre de cinq noms de l'exercice précédent dans ton dictionnaire. Indique à quelle page tu l'as trouvé.

3. Trouve 15 noms dans les phrases qui suivent.
   Trouve ensuite le groupe du nom qui correspond à chaque nom.

   a) Les bulletins météorologiques occupent une place importante dans les émissions matinales.

   b) As-tu déjà remarqué comment la température affecte les gens?

   c) Quand un soleil chaud et radieux pointe à l'horizon, la joie et la bonne humeur règnent.

   d) Si de gros nuages gris se promènent dans le ciel, des visages tristes et soucieux apparaissent.

   e) Les pluies abondantes ne font sourire que les fleurs et les potagers!

Un sac gonflé de vent

Texte original de Gérald Rose
Adaptation de Paul Dansereau

> • Rappelle-toi un événement qui t'a beaucoup plu ou déplu. Représente-le au moyen d'un dessin ou d'une sculpture.
>
> • Lis le texte suivant pour savoir quel genre de marché Jacques et Séraphin ont conclu, et pourquoi l'un des deux est perdant.

De retour d'un long voyage en mer, Jacques le marin mit pied à terre. Sur sa tête se tenait un ara, grand perroquet d'Amérique latine, et sur son épaule se balançait un gros sac rempli... de vent !

« Un sac rempli de vent ? Mais ça n'a pas de sens, lui disait-on.

– Certainement, insistait-il. C'est un sac gonflé des vents que j'ai récoltés aux quatre coins du monde.

– Mais la terre n'a pas de coins. Je n'ai jamais entendu de telles balivernes. »

Personne ne croyait Jacques, car les marins ont la réputation de raconter des histoires abracadabrantes.

Un jour, Séraphin, un homme envieux, rencontra Jacques dans une auberge et pensa qu'il cachait peut-être un trésor dans son sac.

« Que transportez-vous dans votre sac ? lui demanda-t-il.

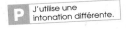

– De l'or et des bijoux ! s'écria l'ara.

– Ne faites pas attention à ce que dit ce perroquet, conseilla Jacques. Il n'y a que du vent dans ce sac. »

Mais Séraphin pensait que l'ara disait peut-être la vérité. Il invita donc Jacques chez lui, bien décidé à savoir ce qu'il y avait dans ce mystérieux sac.

Après une longue nuit de sommeil chez Séraphin, Jacques se leva pour prendre un copieux petit déjeuner. Pendant qu'il étalait une bonne couche de confiture sur son pain grillé, l'homme cupide regardait fixement le sac de son invité.

« Puis-je ouvrir votre sac ? demanda-t-il à Jacques.

– Oh non ! répondit le marin. Tous les vents s'en échapperaient !

– Et l'argent et les diamants ! cria l'ara.

– N'écoutez pas ce qu'il dit, répliqua Jacques. Cet oiseau répète toujours les mêmes sornettes.

– Puis-je seulement soulever le sac ? demanda encore l'homme.

– Oh non ! Cela serait inutile parce qu'il ne pèse rien du tout.

– Et si je vous offrais une vache, accepteriez-vous de me donner votre sac en échange ? demanda Séraphin.

– Mais que ferais-je d'une vache ? répondit Jacques.

– Toutes mes vaches et mon étable ? proposa alors Séraphin.

– À quoi me serviraient une étable et des vaches sans maison pour y vivre moi-même ? »

Séraphin hésita. Il était persuadé que Jacques le marin avait découvert un trésor abandonné dans une épave enfouie au fond de la mer. Le trésor était certainement caché dans le sac. Séraphin réfléchit, puis il dit :

M épave ?

« Ne vous vexez pas. S'il n'y a que du vent dans votre sac, vous l'échangerez bien contre ma maison en plus de mes vaches et de mon étable.

– C'est un marché intéressant, dit Jacques, pensif. J'accepte. »

Séraphin se précipita alors sur le sac et tira la ficelle. Au début, on entendit un sifflement léger, puis un bourdonnement qui se transforma rapidement en rugissement. Tous les vents récoltés aux quatre coins de la terre s'échappaient du sac. L'homme cupide fut soulevé dans les airs où il tourna encore et encore… autour de sa maison... par-delà les collines... au-delà de la vallée… loin, loin, jusqu'à la mer. On ne le revit jamais plus. Quant au marin, il s'installa confortablement dans sa nouvelle demeure.

M demeure?

Reproduit avec la permission des éditions Flammarion ltée.

Illustration : Virginie Faucher

Écris les éléments essentiels du récit

1. Quel est le marché conclu entre Séraphin et Jacques ?

2. Qui est le gagnant et qui est le perdant ? Pourquoi ?

Décris les personnages

3. Que sais-tu de Jacques et de Séraphin ?

4. Quel rôle joue l'ara dans cette histoire ?

Réagis…

5. Que penses-tu du comportement de Jacques ? Est-ce un chanceux ou un escroc ? Justifie ton point de vue.

6. Quels éléments trouves-tu invraisemblables dans ce récit ?

Explique…

7. Quels mots faut-il ajouter pour comprendre la question de Séraphin «Toutes mes vaches et mon étable ?» ?

8. Quels moyens as-tu utilisés pour comprendre le sens des mots *ara* ? *balivernes* ? *copieux* ? *sornettes* ? *épave* ? *demeure* ?

Au sujet de...

Est-il important de connaître le sens de tous les mots dans un récit?

Moi, je voudrais retenir le sens des mots nouveaux...

Moi, je veux savoir quel est le meilleur moyen de trouver le sens d'un mot nouveau.

Devant un mot nouveau...

Je me demande si ce mot nouveau m'empêche de comprendre la suite du texte. Si oui…

Je fais une hypothèse et je vérifie.

- Je regarde le mot : – une partie du mot,
  – un mot de même famille.

- Je regarde autour du mot : – la phrase,
  – les phrases avant et après,
  – le paragraphe.

- Si nécessaire, je recours : – à un ou une adulte,
  – à un ami ou une amie,
  – à un dictionnaire.

À l'essai!

1. Donne le sens des mots en gras et dis comment tu l'as trouvé.

Le voleur volé

Jacques menait une vie tranquille et était [1]**enchanté** de sa nouvelle demeure. Un problème [2]**persistait** cependant. Chaque fois qu'un visiteur se présentait chez lui, l'ara ne cessait de crier : «De l'or et des bijoux! De l'argent et des diamants!» Jacques avait beau répéter : «Cet oiseau raconte des histoires [3]**farfelues**, il ne dit que des [4]**sottises**», les gens étaient de plus en plus [5]**sceptiques**. Plusieurs ne le croyaient pas. C'est ainsi que des [6]**brigands** se mirent à s'intéresser à Jacques et à son trésor. Ils firent un plan pour fouiller sa maison et [7]**s'emparer** du trésor.

2. Invente la suite de ces phrases.

   a) Voici la description d'un brigand : …

   b) La semaine dernière, ma mère a été enchantée quand…

   c) Mon père est sceptique quand…

   d) En vacances, nous avons vu quelqu'un qui voulait s'emparer…

1. Écris un mot de la même famille que chacun des verbes suivants.
   Si tu n'en connais pas, cherche dans le dernier paragraphe du texte *Un sac gonflé de vent*.

   a) ficeler   *c*) rugir   *e*) atterrir   *g*) amerrir
   b) siffler   *d*) venter   *f*) aérer   *h*) débuter

2. Dans le texte qui suit, remplace chaque mot en gras par un autre mot ou une autre expression. Quel indice peux-tu utiliser?

La météorologie

La plupart des gens s'intéressent aux prévisions de la météo. Ainsi, ils peuvent [1] **planifier** leurs activités à l'extérieur ou décider de la façon de se [2] **vêtir** pour se [3] **prémunir** contre le froid ou la chaleur. Pour certaines personnes, les prévisions [4] **météorologiques** sont [5] **indispensables**. Les agriculteurs, par exemple, doivent connaître le moment [6] **opportun** pour ensemencer les champs ou pour moissonner. Dans les épiceries, les responsables tentent d'[7] **estimer** la demande de glaces ou de boissons rafraîchissantes. Les compagnies [8] **aériennes** et [9] **maritimes** se fient aux prévisions du temps pour modifier la [10] **trajectoire** des avions et des bateaux, ou pour retarder leur départ.

Indice du mot	Indice du texte

Illustrations : Joanne Ouellet

3. Explique le sens des mots en gras et dis comment tu l'as trouvé.

Une tornade

Une tornade est une violente colonne d'air qui se déplace en [1] **tournoyant**. Quand elle approche, on entend un bruit [2] **assourdissant** semblable au décollage d'un avion. Si la tornade touche le sol, elle peut soulever des maisons et [3] **projeter** des voitures en l'air. Tous les gens qui ont été victimes des [4] **méfaits** d'une tornade ont eu très peur. Quand ils racontent l'événement, ils sont encore [5] **terrifiés**. Heureusement, les tornades sont des phénomènes [6] **météorologiques** plutôt rares.

Vive le vent !

 • Lorsque tu regardes dehors, comment sais-tu qu'il y a du vent ?

• À ton avis, qu'est-ce que le vent ? Quelle est son origine ?

• Que peux-tu dire de la vitesse du vent ? de sa direction ?

Je lis ce texte pour...

 1. Pour comprendre comment se forme le vent...

• Observe et décris les démonstrations présentées ici.

– À ton avis, qu'arrivera-t-il dans chaque cas ?

– D'après ce que tu viens d'observer, comment expliques-tu ce qui crée le vent ?

Illustrations : Daniel Sylvestre

• Compare ton explication avec celle qui suit.

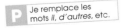 Je remplace les mots *il*, *d'autres*, etc.

Les vents

Certaines parties de la Terre sont plus chaudes que d'autres. Lorsque l'air entre en contact avec une terre ou une mer chaude, il se réchauffe. Il devient alors plus léger et monte dans l'atmosphère. De l'air froid vient aussitôt prendre la place de l'air chaud. C'est ce mouvement de l'air qui forme le vent.

2. Pour déterminer la direction du vent et mesurer sa vitesse...

- Observe les girouettes et les anémomètres présentés ci-dessous. Que sais-tu de ces instruments? Comment chacun fonctionne-t-il?

- En équipes, choisissez le modèle de girouette ou d'anémomètre que vous fabriquerez.

- Dressez la liste du matériel requis et discutez des étapes de construction.

- Présentez à la classe votre façon de procéder. Apportez des corrections si nécessaire.

J'observe les photos.

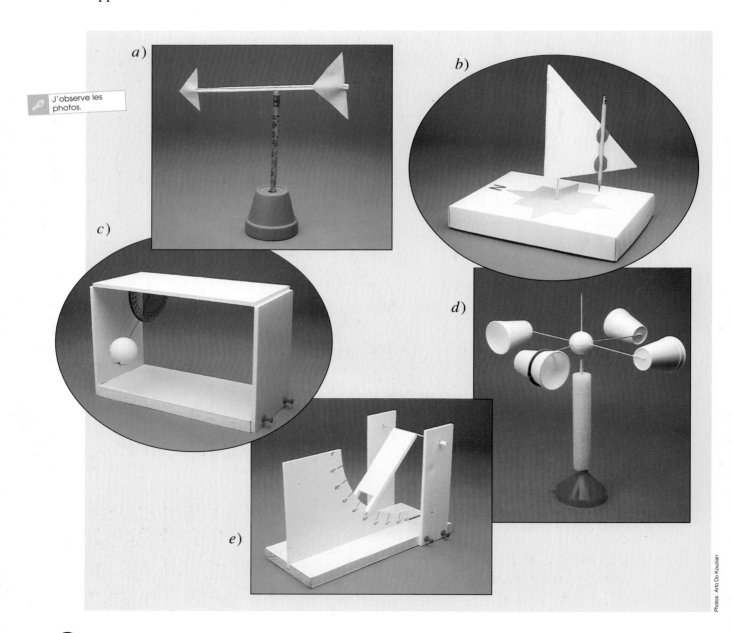

a)
b)
c)
d)
e)

Photos: Arto Do Kouzian

• Observez l'échelle de Beaufort.
Quelles informations donne-t-elle?

P Je transforme en phrases l'information du tableau.

L'échelle de Beaufort

DEGRÉ DE L'ÉCHELLE (FORCE)	TERME DESCRIPTIF	EFFETS PRODUITS PAR LE VENT	VITESSE DU VENT (km/h)
0	Calme	La fumée s'élève verticalement.	< 1
1	Très légère brise	La fumée bouge, mais pas la girouette.	1 - 5
2	Légère brise	Les feuilles frémissent.	6 - 11
3	Petite brise	Les feuilles et les petites branches sont constamment agitées.	12 - 19
4	Jolie brise	Le vent soulève la poussière et les papiers.	20 - 28
5	Bonne brise	Les arbustes se balancent.	29 - 38
6	Vent frais	Les grandes branches et les fils télégraphiques bougent.	39 - 49
7	Grand vent	Les arbres commencent à plier.	50 - 61
8	Coup de vent	Les petites branches des arbres se brisent.	62 - 74
9	Fort coup de vent	Les rafales causent des dommages aux constructions légères.	75 - 88
10	Tempête	Les arbres sont déracinés, les toitures abimées.	89 - 102
11	Violente tempête	Les édifices subissent de graves dégâts.	103 - 117
12	Ouragan	Les arbres sont arrachés, les édifices s'effondrent.	> 118

Illustrations : Johanne Pépin

• Essayez votre girouette ou votre anémomètre.
Notez vos résultats et comparez-les avec ceux d'une autre équipe.
Au besoin, modifiez votre instrument pour qu'il soit encore plus précis.

! • Qu'as-tu appris sur le vent?

• Qu'as-tu appris en construisant un instrument?

• Quels instruments semblent les plus précis? les plus faciles à utiliser? Pourquoi?

Comment vérifier si mes phrases sont complètes?

Pourquoi est-il important de faire des phrases complètes?

La phrase

1. La phrase est une suite de mots qui doit avoir un sens.

2. La phrase commence par une majuscule et se termine par un point.

3. Pour vérifier si les phrases que j'écris sont complètes et bien ponctuées:

P	Je sépare les phrases par des traits.		Je fais appel à mes connaissances.
P	Je relis chaque phrase à voix haute.		Je fais relire mon texte.

Illustration: Bruno St-Aubin

À l'essai!

1. Parmi les énoncés suivants, lesquels sont des phrases complètes?
Réécris-les en ajoutant la majuscule et le point.

Un anémomètre à l'essai

a) cette semaine, à l'école, Françoise a construit un anémomètre

b) ma girouette indique un vent du sud-ouest

c) l'anémomètre se met rapidement en mouvement

d) si les gobelets de l'anémomètre ne tournaient pas si vite

e) ce modèle d'anémomètre est-il vraiment efficace

f) Françoise n'est plus certaine d'avoir choisi le meilleur modèle

g) aujourd'hui, nous sortons de l'école

h) pour déterminer la vitesse et la direction du vent

Illustration : Joanne Ouellet

2. Écris le court texte qui suit dans un cahier. Révise chaque phrase en suivant la démarche de correction.
   – Fais un trait oblique après chaque point.
   – Lis chaque énoncé de la majuscule au point.
   – Si la phrase est incomplète, essaie de l'unir à celle qui précède
     ou à celle qui suit, puis modifie la ponctuation.

Le vent fripon

Ce samedi matin, le vent souffle avec force. Je le
sais. Parce que les fils électriques bougent beaucoup.
Les branches des arbres se balancent vigoureusement.
Comme si elles voulaient se décrocher et s'envoler.
Nous voyons tout à coup Monsieur Arthur, notre voisin.
Qui court après son chapeau. Quand il est près de l'at-
traper. Le vent pousse le chapeau plus loin. Il rit,
et nous aussi. « Quel vent fripon ce matin ! » dit-il
en nous saluant.

À ton tour !

1. Parmi les énoncés qui suivent, lesquels sont des phrases complètes ?
   Réécris-les et ajoute une majuscule et un point.

   a) hier, nous avons emprunté le séchoir à cheveux de ma sœur

   b) nous avons utilisé l'échelle de Beaufort

   c) lorsque nous avons gradué les anémomètres

   d) il y avait beaucoup de vent

   e) nous savons que le vent est faible

   f) si on place des roches dans le fond de la boîte

   g) pour essayer notre anémomètre

   h) parce que la girouette et l'anémomètre ne bougent pas

   i) nous avons indiqué la force 2 sur notre anémomètre

   j) quand nous avons vu les petites feuilles frémir

   k) le vent ne peut pas emporter la girouette

   l) sur le bord de la mer cet été

   m) nous avons vu une girouette en forme de coq
       et un anémomètre en forme de poisson

2. Choisis trois énoncés incomplets et relie chacun de ces énoncés à un autre pour le compléter.
   Écris les phrases complètes.

⚠ *L'exposition*

Après avoir construit votre anémomètre ou votre girouette, présentez vos récentes découvertes sur le vent. Conservez les mêmes équipes pour rédiger les fiches qui serviront à faire connaître vos travaux aux parents et aux autres élèves de l'école.

1. Planifiez

Je me rappelle mes expériences.

Choisissez des rubriques pour décrire les aspects les plus intéressants de vos découvertes. Voici un exemple de fiche.

Nom de l'appareil :

Utilité : Il sert à ...

Fonctionnement :

Matériel utilisé :

Observations :

Difficultés :

2. Rédigez

Je souligne les mots incertains.

Formulez des explications concises pour chaque rubrique.
Mettez ensuite vos phrases en commun.
Rédigez le texte final de votre fiche.

3. Révisez

Échangez votre fiche avec celle d'une autre équipe.

Je relis chaque phrase.

Quelle partie de la girouette indique la direction du vent ?

J'ai oublié d'indiquer le crayon. Je vais l'ajouter.

Illustration : Daniel Dumont

4. Diffusez

Utilisez des caractères différents pour les titres de rubriques.
Conservez vos fiches précieusement jusqu'au moment de l'exposition.

À quoi sert un tableau de conjugaison ?

Être

Présent de l'indicatif	Imparfait de l'indicatif	Futur simple de l'indicatif	Conditionnel présent
je **suis**	j' **étais**	je **serai**	je **serais**
tu **es**	tu **étais**	tu **seras**	tu **serais**
il, elle **est**	il, elle **était**	il, elle **sera**	il, elle **serait**
nous **sommes**	nous **étions**	nous **serons**	nous **serions**
vous **êtes**	vous **étiez**	vous **serez**	vous **seriez**
ils, elles **sont**	ils, elles **étaient**	ils, elles **seront**	ils, elles **seraient**

À ton tour !

1. Repère les formes du verbe *être* dans le texte qui suit. Classe-les dans un tableau.

Présent de l'indicatif	Imparfait de l'indicatif	Futur simple de l'indicatif	Conditionnel présent

Parapluie et parasol

« J'en ai assez d'être un parapluie ! Je suis synonyme de tristesse. Les gens sont malheureux en ma compagnie. Sitôt rentrés chez eux, ils me jettent dans un placard sombre et m'oublient.

Toi, le parasol, ta vie est bien plus amusante. Les gens sont heureux de faire appel à tes services. Tu es signe de bonheur et de beau temps. Ah ! Si j'étais un parasol comme toi, ma vie serait bien différente.

– Cher parapluie, ce n'est pas vraiment rigolo d'être un parasol ! Je passe des heures à me faire brûler par le soleil. Je serais si heureux d'être à l'ombre ! Hélas ! Me voilà condamné à griller puisque je serai un parasol toute ma vie. »

2. Complète le texte suivant en employant le verbe *être* au présent,
à l'imparfait ou au futur simple de l'indicatif.

Les futurs experts

Hier, Roger et moi, nous (imparfait de l'indicatif) *1* ✎ certains que le vent venait du nord. La
girouette (imparfait de l'indicatif) *2* ✎ résolument du même avis que nous. Aujourd'hui, j'ai
remarqué que les gobelets de l'anémomètre (imparfait de l'indicatif) *3* ✎ presque immobiles.
Je (présent de l'indicatif) *4* ✎ donc persuadée que la brise est comme une douce caresse.
Actuellement, mon frère (présent de l'indicatif) *5* ✎ en train de lire un article sur les ouragans.
« La fréquence des ouragans varie selon les régions, lit-il à voix haute. Un ouragan (présent de
l'indicatif) *6* ✎ toujours dangereux ; heureusement, les météorologues (présent de l'indicatif) *7* ✎
maintenant capables de prédire son arrivée. »

« Bientôt, vous (futur simple de l'indicatif) *8* ✎ des experts en météorologie, dit mon père en
riant. Ce (futur simple de l'indicatif) *9* ✎ très, très pratique pour planifier les activités de la fin
de semaine. »

3. Complète les phrases suivantes avec *son* ou *sont*.

Pluies d'automne

Les nuages *1* ✎ bas et lourds comme si le ciel,
soudainement triste, voulait nous communiquer *2* ✎
chagrin. Mon petit frère nouveau-né dort dans *3* ✎
berceau. Bientôt, le son de la pluie viendra bercer *4* ✎
sommeil. Comme ils *5* ✎ mignons, les enfants, quand
ils dorment ! Et comme ils *6* ✎ tristes, les soirs de
pluie en automne !

Remplace
sont par *étaient*
pour reconnaître
le verbe.

À vos marques !

1. Complète les phrases avec les mots appropriés.
Attention aux indices de temps !

pas   ciel   aujourd'hui   automne   nuages   hier   temps   lumière

a) Après la pluie, le beau temps : ✎ Émilie
   était triste, ✎ elle est joyeuse.

b) David est toujours distrait. Il vit dans les ✎ .

c) Nicolas ne consulte ✎ ses amis. Il fait la pluie
   et le beau ✎ avec eux.

d) Le ✎ est gris, il va pleuvoir. Nathalie
   allume la ✎ .

e) Ici, comme dans plusieurs pays, l' ✎ est
   la saison des pluies.

2. Écris un mot de la rubrique «Mot à mot» qui contient chacun des mots qui suivent.

tôt	jour	mètre	aussi	demain	hier

3. Connais-tu bien les expressions formées avec le mot *pas*?
   Dans chaque groupe, associe chacune des expressions à la signification correspondante.
   Tu peux utiliser ton dictionnaire.

a) Faire les premiers pas.   1. retourner en arrière
b) Faire les cent pas.   2. tout près
c) Revenir sur ses pas.   3. prendre l'initiative
d) C'est à deux pas d'ici.   4. attendre en marchant de long en large

e) Marcher au pas.   5. rapidement
f) Marcher d'un bon pas.   6. marcher tous ensemble, au même rythme
g) Le pas de la porte.   7. approcher silencieusement
h) Approcher à pas de loup.   8. l'entrée de la maison

i) Au pas de course.   9. tout de suite
j) Céder le pas.   10. se tirer d'une situation périlleuse, dangereuse
k) Se sortir d'un mauvais pas.   11. laisser passer devant
l) J'y vais de ce pas.   12. rapidement

Mot à mot

2.3.1 ▷

automne	mauvais	tant
centimètre (cm)	mauvaise	après-midi
ciel	mois	aujourd'hui
cieux	moment	aussitôt
demain	nuage	avant-midi
été	pas	avant-hier
hier	regarder	pleuvoir
lendemain	temps	
lumière		
maintenant		

Rimes de vent, de pluie et d'éclaircie

• Découvre les nuages, la pluie, une éclaircie et le vent à travers les yeux et les oreilles des poètes.

J'invente des images et des bruits.

Je fais appel à mes expériences.

« J'aime bien ma vie de nuage, dit le nuage. Elle est variée. Je charrie le tonnerre, je me fais abat-jour ou dentelle ou monstre ou coussin ou écran ou brume.

Descendre sur Terre mouiller les barques et les fleurs m'amuse beaucoup. Mais ce que j'aime le plus, c'est me faire filet au-dessus des étoiles pour les petits princes qui tomberaient… »

Félix Leclerc, *Chansons pour tes yeux*,
Montréal, Éditions Fides, 1976, p. 36.

Illustration : Andrée-Caroline Boucher

Au sujet de...

Que sais-tu des poèmes ?

Un poème

1. Un poème exprime une vision différente du monde par :
   - les images,
   - les sonorités,
   - le rythme.

Le vent est un cheval : *« Il court à brise abattue »*

Le vent est un chien : *« Quelle vie de chien qui toujours halète »*

La pluie est une souris : *« De ses milliers*
De petits pieds
Elle trottine »

2. Un poème est composé de vers et de strophes.

À ton tour !

1. Imagine…
   a) Tu deviens vent, pluie ou nuage. Comment est ta vie ?
   b) Tu rencontres le vent, la pluie ou un nuage. Que lui dis-tu ?

2. Donne aux lettres, aux mots ou aux phrases la forme du vent, de la pluie, d'un nuage ou d'une éclaircie.

Vent, joli vent, vent mignon, vent vivant, vente vent et fait virevolter vivement mon joyeux cerf-volant

Délire de lire

Alerte météorologique à la bibliothèque !

Pars à la recherche de titres de livres contenant une expression ou un mot relié à la météorologie.

Pense à des titres comme :
Tornade dans le cœur de Joanie
Coucher de soleil sur la ville engloutie
Ciel, il fait beau !

À l'essai !

1. Voici cinq listes de mots. Choisis-en une et trouve le pluriel des mots de cette liste. Formule ensuite la règle que tu as suivie.

A

un clou

un hiver

un escalier

un coup

un kangourou

un enfant

un camion

B

un printemps

un héros

un prix

une voix

un nez

un gaz

un autobus

Consulte ton dictionnaire, au besoin.

C

un cheveu

un adieu

un cadeau

un château

un bateau

un tuyau

un noyau

D

un chandail

un rail

un détail

un épouvantail

un éventail

un gouvernail

E

un journal

un animal

un cheval

un hôpital

un idéal

un bocal

2. Mets les exceptions suivantes au pluriel. Consulte ton dictionnaire.

a) ciel

b) œil

c) chou

d) genou

e) vitrail

f) travail

g) bijou

h) carnaval

i) bleu

j) festival

k) bal

l) pneu

3. *a*) Quels mots trouves-tu les plus difficiles à mettre au pluriel?
   b) Quels moyens peux-tu utiliser pour t'aider?

Que pensez-vous de mon attirail grammatical?

Génial! Sans égal! Au travail!

Les mots en **ail** et en **al** me donnent toujours des maux de tête!

Le nombre des noms : singulier ou pluriel

1. Un nom est singulier s'il désigne un seul être ou une seule chose.

2. Il est pluriel s'il en désigne plusieurs.

   la rue   les rues

3. Voici des règles pour former le pluriel :

   – Ajoute un **s** au nom singulier.

un ami	*des amis*
un cou	*des cous*
un chandail	*des chandails*

   – Ajoute un **x** aux noms en **eu**, **au**, **eau**.

un feu	*des feux*
un noyau	*des noyaux*
un oiseau	*des oiseaux*

   – Laisse invariables les noms en **s**, **x**, **z**.

un mois	*des mois*
un nez	*des nez*
une noix	*des noix*

   – Transforme les noms en **al** en **aux**.

un cheval	*des chevaux*

4. Voici quelques exceptions à ces règles :

un bijou/des bijoux	*un bleu/des bleus*
un caillou/des cailloux	*un pneu/des pneus*
un chou / des choux	
un genou/des genoux	*un carnaval/des carnavals*
un hibou/des hiboux	*un travail/des travaux*
un joujou/des joujoux	
un pou/des poux	

5. Pour orthographier les noms au pluriel :

 Je reconnais les noms dans mon texte.   Je me rappelle les règles et les exceptions.   Je consulte le dictionnaire.

Illustrations : Bruno St-Aubin

À l'essai !

Fais une liste de noms singuliers et pluriels à partir de ce que tu vois sur chaque illustration.
N'oublie pas d'indiquer la marque du pluriel.

À ton tour !

1. Trouve tous les noms pluriels dans le texte qui suit. Classe-les dans un tableau.

FORMATION DU PLURIEL DES NOMS			
+s	+x	changé	invariable

Une poète nouveau genre

Émilie adore jouer avec les mots. Souvent, elle s'amuse à les découper dans les journaux.
Elle les mélange et les recolle. Ainsi, elle crée des poèmes bizarres ou amusants, comme
celui-ci :

Attention, attention !

Grand solde de liquidation :

Tapis persans à prix étonnants

Jeux pour petits et grands enfants

Bijoux en caoutchouc,

En vente à un sou.

Scies, clous et marteaux

Pour tous vos travaux !

Et même des pneus

Pour aller jusqu'aux cieux.

Qui dit mieux ?

2. Écris au singulier les noms pluriels du texte précédent.

3. Souligne les mots de ton tableau qui sont des exceptions aux règles.
Au besoin, consulte la note grammaticale de la page précédente.

Illustrations : Joanne Ouellet

Le gang des Cagoules

Texte original de Georges Layton
Traduction de Rose-Marie Vassallo

- En lisant ce texte, tu feras la connaissance d'un garçon qui veut à tout prix faire partie d'un groupe.
- Réussira-t-il à faire partie du gang des Cagoules ?
  Prévois la suite de l'histoire chaque fois que tu vois le symbole ◆

—— 1 ——

Tony en avait une. Barry en avait une. Je crois bien que la moitié des élèves de la classe en avaient une. Et moi, je n'en avais pas. Ma mère ne voulait même pas en entendre parler.

« Une cagoule ? Tu veux rire ! Je vous demande un peu, pour quoi faire ? Une cagoule, à cette saison ! »

Pour quoi faire ? Je le lui avais expliqué cent fois.

« C'est pour pouvoir faire partie du gang des Cagoules…

– Va te laver les mains, on mange. Et arrête de dire des sottises. »

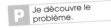
Je découvre le problème.

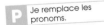
Je remplace les pronoms.

Je savais parfaitement quel genre de cagoule je voulais. La même que celle de Tony, exactement la même, d'un certain jaune moutarde. Son père la lui avait offerte lorsqu'il avait eu son otite. Notez qu'au début, il ne voulait pas la porter. À l'école, pour commencer, il l'avait

M il avait décrété ?

refilée à Barry ; il ne la remettait que pour rentrer chez lui. Mais bientôt, tout un tas de copains s'étaient mis à lui demander la permission de la porter, un petit moment chacun, si bien que Tony l'avait reprise pour lui ; il avait décrété qu'à partir de maintenant, lui seul y aurait droit – même Barry n'était plus autorisé à y toucher. Barry lui avait rétorqué qu'il s'en moquait, vu qu'une cagoule, c'était facile de s'en procurer une, et qu'il aurait bientôt la sienne. D'autres copains en avaient fait autant… Et c'est ainsi que tout avait commencé : le gang des Cagoules était né.

En fait, ce n'était pas un vrai gang. Je veux dire par là qu'ils n'avaient pas de réunions, ni de trucs dans ce genre. Ils se contentaient de se balader ensemble avec leurs cagoules sur la tête, et celui qui n'avait pas de cagoule ne pouvait pas se joindre à eux. Tony et Barry étaient mes meilleurs copains, mais comme je n'avais pas de cagoule, ils ne voulaient plus me laisser aller avec eux. Je les suppliais sur tous les tons, pourtant !

« Ooh ! diiis, Barryyy ! n'est-ce pas que je peux venir avec vous ?

– Non. Tu ne fais pas partie du gang. »

Fichues cagoules, et fichu gang. Mais aussi, pourquoi ma mère à moi ne voulait-elle pas m'acheter de cagoule ? Se rendait-elle compte, seulement, que j'étais en train de perdre tous mes amis, par sa faute ?

Satanées cagoules. Que le diable emporte leur inventeur !

Je prévois.

C'est alors que la terrible chose m'arriva. ◆

Je ne sais pas au juste comment cela se produisit. Toujours est-il que je n'hésitai pas : à peine eus-je repéré cette cagoule qui traînait par terre que je décidai de la piquer. Ce fut plus fort que moi. Quelque chose me disait que c'était ma seule chance.

Je ramassai donc cette cagoule et me dirigeai vers le vestiaire pour la fourrer dans la poche de mon blouson. Le sang battait à mes tempes, et j'avais beau m'être essuyé les mains la minute d'avant, elles étaient toutes moites. Si seulement j'avais pris une seconde pour réfléchir, avant d'agir ! Mais non, tout se passa en un éclair. Je retournai en classe, et c'est alors seulement que je réalisai ce que je venais de faire. J'avais *volé* une cagoule.

 tempes ?

En regagnant mon pupitre, il me sembla que tous mes camarades étaient déjà au courant de ce que je venais de faire. Mais voyons, comment l'auraient-ils su ? ◆

L'heure de la sortie mit une éternité à venir, mais dès que retentit la cloche, je sortis le plus vite possible. Cette cagoule, j'allais la remettre en place, et vite fait, ni vu, ni connu. Hélas, je n'étais pas encore arrivé aux vestiaires que j'entendis Norbert Light brailler très fort son indignation : on lui avait piqué sa cagoule.

Lorsque j'arrivai à la maison, Maman n'était pas encore rentrée de son travail, quelle chance ! Je n'avais pas plutôt refermé la porte que je plongeais la main dans la manche de mon blouson pour en extirper le corps du délit. Il n'y avait rien dans cette manche-là. Bizarre, j'étais convaincu de l'avoir glissée dans celle-là… J'explorai l'autre manche, elle était vide. Allons bon, je m'étais trompé de blouson ! Mais non, c'était bien le mien…

 corps du délit ?

Mais alors ?… Oh ! misère ! La cagoule avait dû tomber le long du trajet, tandis que je rentrais au grand galop à la maison ! ◆

Illustrations : Daniel Sylvestre

D'un côté, j'étais soulagé : après tout, je n'avais même plus besoin de me creuser la tête pour trouver le moyen de m'en débarrasser. Oui mais, d'un autre côté, si quelqu'un l'avait vue tomber ? En arrivant à l'école, le lendemain matin, j'étais plus mort que vif. Rien ne me semblait normal ni habituel. Tous les regards étaient braqués sur moi. Norbert Light passa devant moi sans un mot.

braqués ?

Mais ? Était-ce bien lui ? Il avait une cagoule sur la tête ! Je m'approchai nonchalamment pour vérifier. Oui, c'était bien Norbert ; il avait dû se racheter une cagoule, la veille au soir ou le matin même.

« Tiens, tu t'en es acheté une autre, finalement, Norbert ?

— Meueu… non, je ne l'avais pas perdue, finalement : c'était un pauvre idiot qui avait cru malin de l'enfoncer dans la manche de mon blouson ! »

Reproduit avec la permission des éditions Flammarion ltée.

Prévois…

1. Que prévois-tu ? Quel indice justifie ta prévision ?

Partie de l'histoire	Après la lecture de chaque partie, tu prévois…	À ton avis, c'est ce qui va arriver parce que…

Découvre le personnage

2. Choisis trois sentiments ou réactions du jeune garçon qui désire une cagoule (*envieux, inquiet, nerveux, soulagé, heureux, déçu, fâché, perplexe, malheureux, affolé, angoissé*). Associe une phrase ou une partie de phrase à chaque réaction ou sentiment.

Explique…

3. Comment as-tu fait pour comprendre les mots *il avait décrété* ? *tempes* ? *corps du délit* ? *braqués* ?

4. De qui et de quoi parle-t-on dans la phrase « Son père la lui avait offerte lorsqu'il avait eu son otite. » ?

5. Quel sentiment exprime le personnage dans la phrase « Tu veux rire ! » ? dans la phrase « Que le diable emporte leur inventeur ! » ?

- De quels groupes fais-tu partie ? Qu'as-tu en commun avec les membres de chacun d'eux ?
- Où vivent les membres des groupes dont tu fais partie ?
- À quel territoire correspond ton voisinage ? ton quartier ? ta localité ? ta région ?
- Lequel des groupes dont tu fais partie est le plus important pour toi ? Pourquoi ?

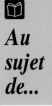

Au sujet de...

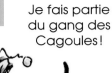
Je fais partie du gang des Cagoules!

Les terminaisons des verbes

Pronom	Terminaisons	Exemples
Je	**e, s, x** ou **ai**	*je porte*
		j'entends
		je veux
		j'ai
		(**x**: **je** veu**x**, **je** vau**x**, **je** peu**x**)
Nous	**ons**	*nous portons*
		nous voulons
		Attention! Nous sommes

Illustration: Bruno St-Aubin

À l'essai!

1. Voici des verbes à la première personne du singulier du présent de l'indicatif. Écris la finale de ces verbes. À côté de chaque finale, écris l'infinitif du verbe conjugué.

Exemple: a) e, demander

a) je demande
b) j'explique
c) je porte
d) je rentre
e) je laisse

f) je supplie
g) j'hésite
h) je ramasse
i) je retourne
j) je réalise

k) je finis
l) je blêmis
m) je frémis
n) je réfléchis
o) j'agis

p) je sais
q) je dis
r) je perds
s) je mets
t) j'entends

2. Mets les verbes de l'exercice 1 à la première personne du pluriel, au présent de l'indicatif. Encercle la finale de chaque verbe.

Exemple: a) nous demandons

À ton tour!

Conjugue les verbes entre crochets au présent de l'indicatif.

À mon école, tout le monde s'habille de la même façon. De vrais moutons! Moi, j' ^{1}(aimer) bien faire à ma tête. Quand je ^{2}(être) à Montréal, je ^{3}(téléphoner) à ma tante Mimi. Elle connaît les meilleures friperies de la ville. Ensemble, nous ^{4}(visiter) les boutiques de vêtements pas chers. Nous ^{5}(décider) d'un parcours, puis nous ^{6}(aller) d'un endroit à l'autre sans nous presser. Nous ^{7}(essayer) des vêtements à tour de rôle et nous ^{8}(rigoler) en prenant des poses comiques devant les miroirs.

Au début, à mon école, les autres me regardaient avec un drôle d'air. Maintenant, j' ^{9}(avoir) un certain succès grâce à mon habillement original. On me demande même où j' ^{10}(acheter) mes vêtements. Mais je ne ^{11}(dire) pas mon secret!

Déterminant!
Un si long mot
pour désigner de
si petits mots!

Le déterminant

1. Le déterminant accompagne le nom.

   la cagoule

2. La plupart des déterminants varient en genre et en nombre.

   la cagoule   *les* cagoules
   le garçon   *les* garçons

3. Le déterminant donne des renseignements sur l'objet ou l'être désigné par le nom.

   *Je prends **la** cagoule.*
   *Je prends **cette** cagoule.*
   *Je prends **une** cagoule.*
   *Je prends **sa** cagoule.*

Illustration: Bruno St-Aubin

À l'essai!

Repère les déterminants qui accompagnent les noms en caractères gras.

Pour la vie!

Attention, n'entre pas qui veut dans notre [1]**gang**. Pour nous distinguer, nous portons un [2]**bracelet** bleu et rouge au poignet gauche. On les fabrique avec de la [3]**corde**. Quand quelqu'un est admis dans notre [4]**groupe**, on lui attache son [5]**bracelet**. C'est pour la [6]**vie**. La seule [7]**façon** de le retirer, c'est de le couper avec des [8]**ciseaux**. Mais après, impossible de le remettre. Si quelqu'un enlève son [9]**bracelet**, il est exclu de la [10]**bande**. C'est sérieux!

À ton tour!

1. Trouve le groupe du nom lié à chaque déterminant en caractères gras.

Pour la vie! *(suite)*

[1]**Un** drame a failli se produire [2]**le** jour où je me suis fracturé [3]**le** bras gauche en faisant de la bicyclette. J'ai dû aller à [4]**l'**hôpital pour qu'on me fasse [5]**un** plâtre. J'avais tellement peur qu'on coupe [6]**mon** bracelet. [7]**Ma** mère disait que [8]**mes** amis comprendraient. Mais [9]**le** règlement, c'est [10]**le** règlement! Dès que j'ai vu [11]**le** médecin, je l'ai supplié de me laisser [12]**mon** bracelet. Il a regardé [13]**la** radiographie, puis il m'a dit: «Tu as de la chance, [14]**le** plâtre s'arrêtera au milieu de [15]**ton** avant-bras. Nous n'aurons pas besoin de couper [16]**ton** bracelet.» Ouf!

2. Quels déterminants du texte de l'exercice 1 expriment la possession?

*Exemple: **mon** bracelet*

Cercle de lecture

- En équipes, choisissez un roman à lire. Tous les membres de l'équipe doivent avoir un exemplaire du même roman. Établissez ensemble un horaire de lecture.

  – Quel livre avez-vous choisi ?

  – Combien de pages lirez-vous d'ici la prochaine rencontre ?

  – Quand les lirez-vous ?

- Lisez et notez vos commentaires ou vos impressions, puis faites le point. Inspirez-vous des questions qui suivent. C ▷

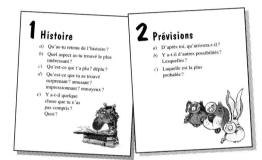

1 Histoire
a) Qu'as-tu retenu de l'histoire ?
b) Quel aspect as-tu trouvé le plus intéressant ?
c) Qu'est-ce qui t'a plu ? déplu ?
d) Qu'est-ce que tu as trouvé surprenant ? amusant ? impressionnant ? ennuyeux ?
e) Y a-t-il quelque chose que tu n'as pas compris ? Quoi ?

2 Prévisions
a) D'après toi, qu'arrivera-t-il ?
b) Y a-t-il d'autres possibilités ? Lesquelles ?
c) Laquelle est la plus probable ?

- Vous avez fini de lire le roman. Parlez-en maintenant ! C et D ▷

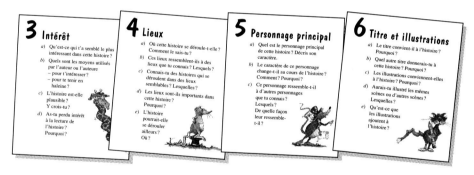

3 Intérêt
a) Qu'est-ce qui t'a semblé le plus intéressant dans cette histoire ?
b) Quels sont les moyens utilisés par l'auteur ou l'auteure
 – pour t'intéresser ?
 – pour te tenir en haleine ?
c) L'histoire est-elle plausible ? Y crois-tu ?
d) As-tu perdu intérêt à la lecture de l'histoire ? Pourquoi ?

4 Lieux
a) Où cette histoire se déroule-t-elle ? Comment le sais-tu ?
b) Ces lieux ressemblent-ils à des lieux que tu connais ? Lesquels ?
c) Connais-tu des histoires qui se déroulent dans des lieux semblables ? Lesquelles ?
d) Les lieux sont-ils importants dans cette histoire ? Pourquoi ?
e) L'histoire pourrait-elle se dérouler ailleurs ? Où ?

5 Personnage principal
a) Quel est le personnage principal de cette histoire ? Décris son caractère.
b) Le caractère de ce personnage change-t-il au cours de l'histoire ? Comment ? Pourquoi ?
c) Ce personnage ressemble-t-il à d'autres personnages que tu connais ? Lesquels ? De quelle façon leur ressemble-t-il ?

6 Titre et illustrations
a) Le titre convient-il à l'histoire ? Pourquoi ?
b) Quel autre titre donnerais-tu à cette histoire ? Pourquoi ?
c) Les illustrations conviennent-elles à l'histoire ? Pourquoi ?
d) Aurais-tu illustré les mêmes scènes ou d'autres scènes ? Lesquelles ?
e) Qu'est-ce que les illustrations ajoutent à l'histoire ?

- À votre tour de créer ! D ▷

7 Création
Après avoir lu cette histoire, as-tu envie de créer une autre histoire ? une illustration ? une carte représentant les lieux où se déroule l'histoire ? une lettre à l'auteur ou à l'auteure ? un collage ? une bande dessinée ? une pièce de théâtre ? une marionnette ? un décor de carton ? un déguisement ? un mobile ?

8 Invente tes propres questions !

Illustrations : Bruno St-Aubin

Au-delà de ta localité

• Le territoire sur lequel ta famille se déplace régulièrement constitue ta région d'appartenance. Que sais-tu de ta région d'appartenance? D'après toi, quelles sont les localités qui en font partie?

• Pour découvrir ta région d'appartenance, lis les consignes qui suivent.

Ta *localité* est comme ta place dans la classe : tu la connais très bien.

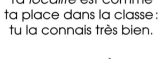

1. Reproduis sur une feuille le plan général de ta localité.

 Je repère les actions.

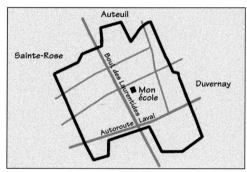

2. Sur ton plan, situe :
   – ton école,
   – les localités voisines,
   – les routes importantes ou les autoroutes (écris le nom des villes où elles mènent).

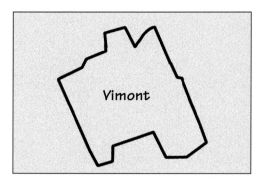

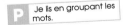 Je lis en groupant les mots.

3. Si ce n'est pas déjà fait, ajoute le nom de quelques localités où toi ou quelqu'un de ta famille se rend pour :
   – acheter les provisions,
   – se faire soigner (hôpital ou C.L.S.C.),
   – pratiquer un sport,
   – étudier (école secondaire, cégep ou université),
   – faire des randonnées en plein air,
   – cueillir des petits fruits.

4. Compare ton plan avec celui de deux autres élèves et trouvez les localités communes aux trois.

• Quelles sont les localités que la majorité des élèves ont nommées? À quoi correspond le territoire couvert par ces localités?

DANS TA RÉGION ?

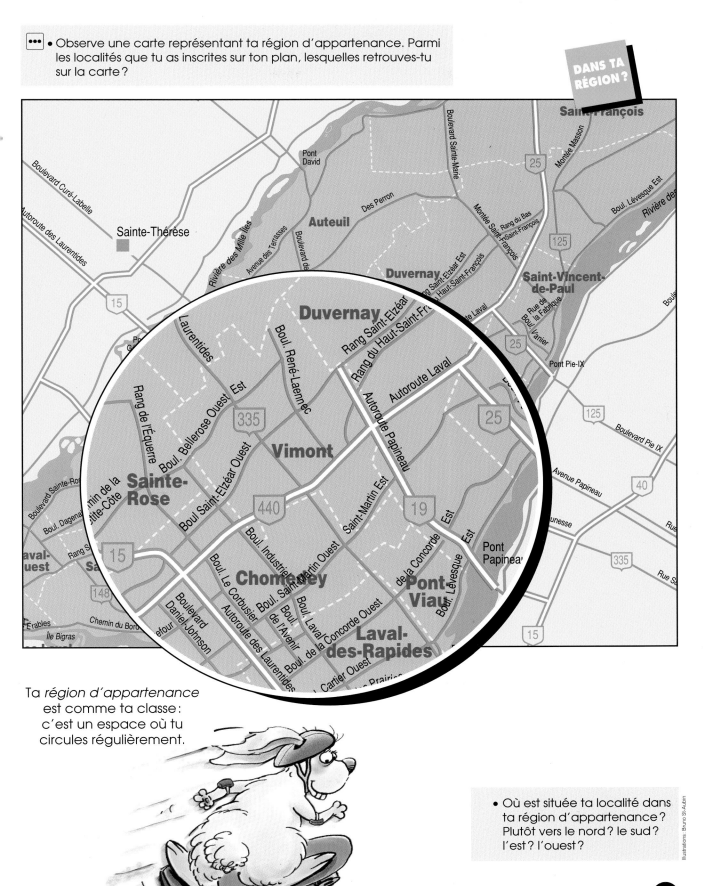

Ta *région d'appartenance* est comme ta classe : c'est un espace où tu circules régulièrement.

• Où est située ta localité dans ta région d'appartenance ? Plutôt vers le nord ? le sud ? l'est ? l'ouest ?

Illustrations : Bruno St-Aubin

Ta région d'appartenance fait partie d'un territoire plus vaste, appelé *région administrative*. Ta région administrative est une partie du Québec. Dans chaque région administrative, on trouve des bureaux du gouvernement où l'on offre des services à la population. Ces services sont reliés, par exemple, à la santé, à l'éducation ou à la protection des gens. Le plus souvent, les bureaux sont dans la ville la plus importante de la région : la métropole régionale.

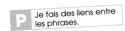
Je fais des liens entre les phrases.

• Observe une carte représentant ta région administrative.

DANS TA RÉGION ?

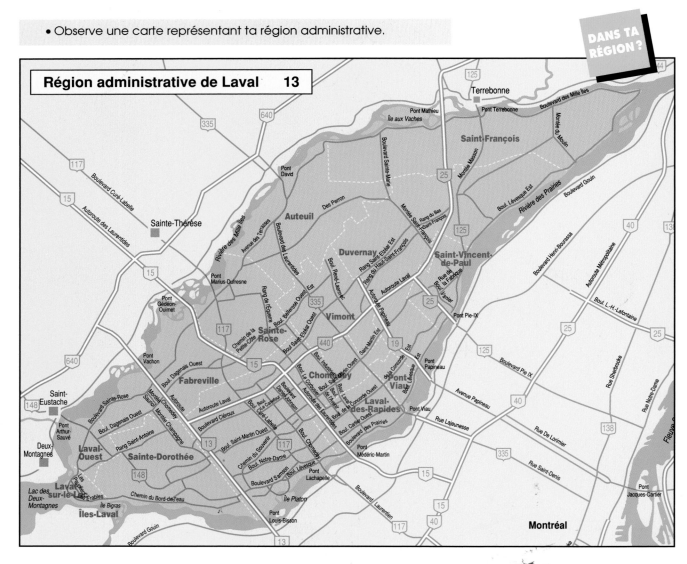

Région administrative de Laval   13

Ta *région administrative* est comme ton école : on y offre des services.

• Quel est le nom de ta région administrative ? Quel est son numéro ?

• Quelle forme a le territoire de ta région administrative ?

• Quel secteur de ta région administrative connais-tu le mieux ? Le nord ? Le sud ? L'est ? L'ouest ?

- Ta région administrative, comme quinze autres régions, fait partie du Québec. Sur la carte qui suit, repère ta région administrative. Nomme les régions administratives voisines de la tienne.

Le Québec est comme ta commission scolaire: ses dirigeants décident des services offerts sur leur territoire.

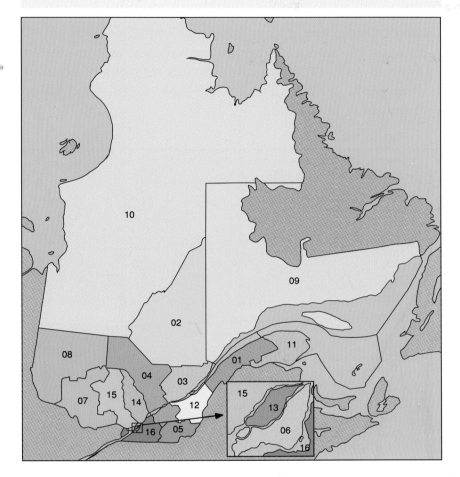

01	Bas-Saint-Laurent
02	Saguenay—Lac-Saint-Jean
03	Québec
04	Mauricie—Bois-Francs
05	Estrie
06	Montréal
07	Outaouais
08	Abitibi-Témiscamingue
09	Côte-Nord
10	Nord-du-Québec
11	Gaspésie—Îles-de-la-Madeleine
12	Chaudière-Appalaches
13	Laval
14	Lanaudière
15	Laurentides
16	Montérégie

- Où est située ta région administrative dans le Québec? Vers le nord? le sud? l'est? l'ouest? 3.2.1 ▷

! - Qu'as-tu appris dans ce scénario sur ta région d'appartenance? sur ta région administrative? sur le Québec? Donne les renseignements demandés.

Ta région d'appartenance
– Quelques localités
– Situation de ta localité dans ta région d'appartenance

Ta région administrative
– Nom   – Numéro
– Forme du territoire
– Métropole régionale
– Situation de ta localité dans ta région administrative

Le Québec
– Nombre de régions administratives
– Situation de ta région dans le Québec
– Régions administratives voisines de la tienne

 Comment faire?

Pour t'y retrouver, observe le schéma suivant:

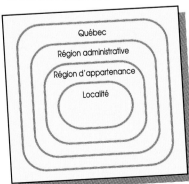

Illustrations : Bruno St-Aubin

Par curiosité !

Tu veux connaître un parc, un événement, une attraction touristique, un aéroport, un musée, un règlement de sécurité, une vedette, un auteur ou une illustratrice? Tu aimerais correspondre avec une fille ou un garçon de ton âge? Tu aimerais t'abonner ou abonner la classe à une revue? Écris une lettre à la personne ou à l'organisme concerné pour faire part de ta demande.

1. Planifie

Choisis ton ou ta destinataire. Planifie le corps de ta lettre en quelques mots. Observe une lettre type.

3.2.2 ▷

2. Rédige et révise

À l'ordinateur ou à la main, écris ta demande de façon précise. Fais-la ensuite lire par un ou une élève.

P J'accorde les groupes du nom.

M Je souligne les mots incertains.

Souligne les noms propres. Vérifie l'orthographe des noms de lieux.

A ▷

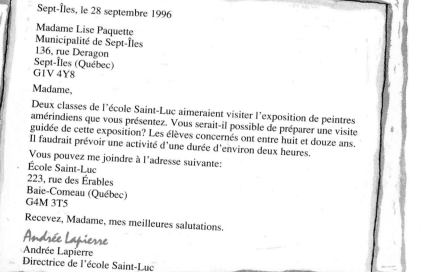

Sept-Îles, le 28 septembre 1996

Madame Lise Paquette
Municipalité de Sept-Îles
136, rue Deragon
Sept-Îles (Québec)
G1V 4Y8

Madame,

Deux classes de l'école Saint-Luc aimeraient visiter l'exposition de peintres amérindiens que vous présentez. Vous serait-il possible de préparer une visite guidée de cette exposition? Les élèves concernés ont entre huit et douze ans. Il faudrait prévoir une activité d'une durée d'environ deux heures.

Vous pouvez me joindre à l'adresse suivante:
École Saint-Luc
223, rue des Érables
Baie-Comeau (Québec)
G4M 3T5

Recevez, Madame, mes meilleures salutations.

Andrée Lapierre
Andrée Lapierre
Directrice de l'école Saint-Luc

3. Diffuse

Transcris ta lettre soigneusement. Adresse ton enveloppe et poste le tout.

J'espère qu'on me répondra...

Illustrations: Daniel Dumont

Aimer

Présent de l'indicatif	Imparfait de l'indicatif	Futur simple de l'indicatif	Conditionnel présent
j' aime	j' aimais	j' aimerai	j' aimerais
tu aimes	tu aimais	tu aimeras	tu aimerais
il, elle aime	il, elle aimait	il, elle aimera	il, elle aimerait
nous aimons	nous aimions	nous aimerons	nous aimerions
vous aimez	vous aimiez	vous aimerez	vous aimeriez
ils, elles aiment	ils, elles aimaient	ils, elles aimeront	ils, elles aimeraient

À l'essai !

1. Repère les formes du verbe *aimer* dans le texte qui suit.
   Classe-les dans un tableau.

Présent de l'indicatif	Imparfait de l'indicatif	Futur simple de l'indicatif	Conditionnel présent

Le rendez-vous

Les Chevaliers de nulle part, c'est un club qui regroupe six membres. Ils aiment se rencontrer derrière l'église du village. Bien des jeunes aimeraient se joindre à eux, mais ce n'est pas si facile…

Le mardi, jour de réunion, les Chevaliers arrivent.

« Regardez ce que je vous apporte, dit Chico, des biscuits faits à la maison. C'est une authentique recette médiévale. Goûtez-les. Vous les aimerez sûrement.

– Moi, j'aimerais bien vous parler du film que j'ai vu hier soir, *Richard Cœur de Lion*. Fantastique !

– Regardez ce que j'ai trouvé chez moi, dit Naya. Un livre sur les instruments de musique anciens. Mon père aimait beaucoup la musique de l'époque. Plus jeune, il a même appris à jouer du pipeau.

– J'ai une idée, ajoute Luce. Nous pourrions écrire un petit journal… sur du papier parchemin. Qui aimerait faire les enluminures, ces jolies illustrations miniatures ? »

Les membres du club ont un point en commun. L'avez-vous deviné ? Ils aiment tout ce qui concerne le Moyen Âge : habitudes de vie, costumes, musique, etc. Aimeriez-vous en faire partie ?

2. Repère cinq verbes à l'infinitif dans le texte *Le rendez-vous*.
Lesquels se conjuguent comme le verbe *aimer*?

À ton tour !

1. Conjugue le premier verbe de chaque phrase à l'imparfait de l'indicatif et le deuxième au conditionnel présent. Complète ensuite chaque phrase au gré de ton imagination.

a) Si j'(entrer) ✎ , je (rencontrer) ✎ .

b) Si tu (regarder) ✎ , tu (trouver) ✎ .

c) Si elle (sauter) ✎ , elle (gagner) ✎ .

d) Si nous (trouver) ✎ , nous (apporter) ✎ .

e) Si vous (marcher) ✎ , vous (arriver) ✎ .

f) S'ils (rouler) ✎ , ils (éviter) ✎ .

2. Complète le texte qui suit en conjuguant le verbe *aimer* à la bonne personne du présent de l'indicatif.

Conflit

Luigi est souvent seul dans la cour de l'école. Plusieurs enfants n' [1] ✎ pas jouer avec lui.

« Pourquoi ? demande-t-il.

– Luigi, tu ne tiens jamais compte de nos idées, lui répond Carla. Tu penses toujours que les tiennes sont les meilleures. Par exemple, si tu [2] ✎ le ballon chasseur, tout le monde devrait aimer le ballon chasseur. Si nous [3] ✎ jouer au drapeau, tu nous traites de tous les noms.

– Ah bon ! Vous n' [4] ✎ pas jouer au ballon chasseur ? Il fallait me le dire, réplique Luigi.

– Luigi !!! »

Mot à mot

3.2.3 ▶

bord	gauche	rencontrer
bout	à gauche	repasser
champ	ici	sud, S.
coin	là	fleuve
droit	nord, N.	groupe
droite	ouest, O.	là-bas
à droite	parc	plat
église	pont	
est, E.	port	

Carte en main

? • Réponds à un test pour faire le point sur tes connaissances. 3.3.1 ▶

••• • Pour mieux comprendre ta carte, suis les consignes et laisse des traces de ton travail sur un acétate.

P Je repère les actions.

P Avec une phrase, j'en fais plusieurs.

1. **Souligne d'abord le titre de ta carte.** Il t'indique le territoire représenté.

   La carte est une image de ta région vue d'en haut, sur laquelle on a ajouté certains renseignements, par exemple, les limites et les numéros de route. En fait, la carte constitue un modèle réduit de ta région auquel il manque les formes de terrain.

2. **Consulte la légende.** Tu y trouves les symboles d'éléments qui existent dans la réalité.

   Voici quelques exemples de symboles. Lesquels vois-tu sur ta carte?

DANS TA RÉGION?

Grande ville

Ville moyenne

Autoroute

Étendue d'eau

Ski alpin

Pont couvert

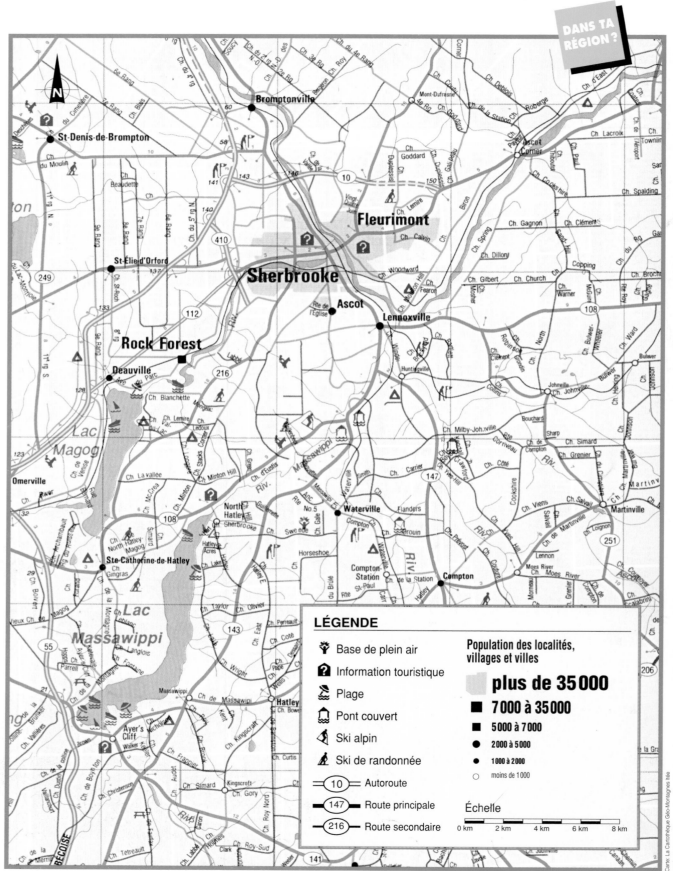

LÉGENDE

🏕 Base de plein air

❓ Information touristique

🏊 Plage

⛩ Pont couvert

🏂 Ski alpin

🚶 Ski de randonnée

══10══ Autoroute

━147━ Route principale

─216─ Route secondaire

Population des localités, villages et villes

plus de 35 000

■ 7 000 à 35 000

■ 5 000 à 7 000

● 2 000 à 5 000

• 1 000 à 2 000

○ moins de 1 000

Échelle

0 km   2 km   4 km   6 km   8 km

Carte : La Cartothèque Géo-Montagnes ltée

Cette carte est donnée à titre d'exemple. Les noms de lieux qui y figurent ne sont pas nécessairement conformes aux normes établies par la Commission de toponymie du Québec.

3. **Examine le symbole d'orientation.** Il te permet de situer les quatre points cardinaux sur ta carte.

Il existe plusieurs façons de représenter les points cardinaux. Voici quelques exemples. Comment sont indiqués les points cardinaux sur ta carte?

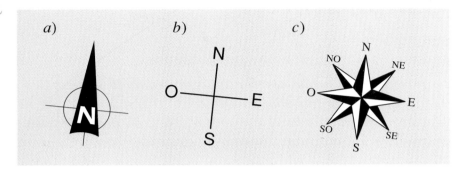

a) *b)* *c)*

M rose des vents?

P les deux autres symboles?

La rose des vents de l'exemple *c* te donne des renseignements plus précis que les deux autres symboles. En effet, elle indique les points cardinaux intermédiaires:
– à mi-chemin entre le nord et l'est se trouve le nord-est;
– à mi-chemin entre l'est et le sud, le sud-est;
– à mi-chemin entre le sud et l'ouest, le sud-ouest;
– à mi-chemin entre l'ouest et le nord, le nord-ouest.

4. **Souligne l'échelle graphique de ta carte.** L'échelle graphique est une ligne droite divisée en parties égales. Elle te permet de mesurer une distance sur la carte et de trouver la distance correspondante sur le terrain. Grâce à l'échelle graphique, tu peux calculer le nombre de kilomètres séparant deux localités en ligne droite ou en suivant le tracé d'une ou de plusieurs routes.

Exemple: sur la carte

0 cm	1 cm	2 cm	3 cm	4 cm	5 cm

sur le terrain

0 km	10 km	20 km	30 km	40 km	50 km

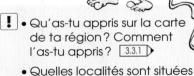

Comment faire?

Pour te retrouver sur une carte, consulte:
– le titre,
– la légende,
– les symboles,
– le symbole d'orientation,
– l'échelle graphique.

! • Qu'as-tu appris sur la carte de ta région? Comment l'as-tu appris? 3.3.1 ▷

• Quelles localités sont situées à 20 kilomètres de la tienne, à vol d'oiseau? Lesquelles sont situées au nord-ouest de ta localité? au sud-est? au sud-ouest? au nord-est?

L'inondation

Pamela Oldfield

- Découvre les péripéties de ce récit et les solutions trouvées par Betty pour résoudre chaque difficulté.

La famille White habite une maison isolée, au bord d'une rivière. Tandis que les parents sont au village, la rivière sort de son lit. L'eau continue de monter et leur voisine, une drôle de vieille femme qui vit dans une caravane, est dangereusement menacée. Comment Betty se débrouillera-t-elle pour sauver la vieille Moggs et ses chats?

—— 1 ——

Un seul coup d'œil à la caravane confirma ses appréhensions. Elle penchait à présent d'une manière inquiétante, et la porte disparaissait à moitié sous l'eau. Tout en avançant dans l'eau à grand-peine, Betty appelait Moggs sans arrêt, sans obtenir de réponse.

P Elle?

Elle atteignit enfin la porte. Une vision d'épouvante l'attendait à l'intérieur. Moggs était dans un coin, flottant à demi. Elle avait la tête hors de l'eau, mais les yeux fermés.

«Moggs! Moggs! Tout va bien, je suis là... il faut s'en aller d'ici, et vite! Comprenez-vous?

– Mes chats... Mes chats... Je ne laisserai...

– Vos chats sont chez nous, en sécurité! Essayez de venir jusqu'à moi...»

M gagna le seuil?

P Je lis en groupant les mots.

Lentement, à grand-peine, la vieille femme gagna le seuil et Betty la prit sous les aisselles pour la sortir de la caravane. Elles devaient avoir fait vingt mètres lorsqu'un bruit mat, mal identifiable, fit soudain se retourner Betty. Lentement, sous ses yeux hagards, la vieille caravane délabrée achevait de chavirer et de s'enfoncer sous l'eau, dans un concert de gargouillis lamentables.

—— 2 ——

Avant que Betty ait eu le temps de comprendre, la vieille femme s'était arrachée à son étreinte et tentait désespérément de retourner vers sa maison ! Mais à peine s'était-elle dégagée que l'eau sembla la happer. Le courant la déportait.

« J'arrive ! Tenez bon, j'arrive ! »

Elle put enfin empoigner un pan de vêtement gonflé d'eau.

Moggs avait perdu connaissance. Trop épuisée pour nager réellement, Betty n'avait plus que la force de maintenir hors de l'eau son menton et celui de Moggs. Et le courant les emmenait toutes deux, entre les champs inondés et le village sous les eaux.

Betty entendit l'hélicoptère alors qu'il n'était encore qu'un tout petit point dans le ciel. « Pourvu que ce soit pour nous ! pria-t-elle mentalement. Pourvu, pourvu qu'on soit à notre recherche. S'il vous plaît… »

Elle était tellement absorbée à le suivre des yeux que le piège qui la guettait la prit plus traîtreusement encore. Sa nuque entra brutalement en contact avec quelque chose de dur, et toutes sortes de doigts crochus se mirent à l'agripper ! Une fraction de seconde, la panique lui coupa le souffle, puis elle comprit l'incroyable chose : un arbre ! Elle était empêtrée, inextricablement, dans les branches d'un arbre !

T Je découvre des dangers.

M déportait ?

M empêtrée ?

69

Betty chercha de ses pieds, à tâtons, une branche assez ferme pour soutenir son poids, elle s'y cala de son mieux et tenta, de toutes ses forces, de soulever Moggs un peu plus au-dessus de l'eau. Petit à petit, elle gagnait du terrain, et elle réussit enfin à tirer son fardeau de l'eau pour le caler dans la fourche. Ici, elle ne risque rien, pensa Betty en vérifiant que Moggs ne pouvait pas glisser.

P — J'utilise les virgules.

M — cala?

P — son fardeau?

—— 3 ——

Betty regarda l'hélicoptère apparaître derrière le toit de sa maison, elle le vit se diriger vers le pont, le survoler, puis, alors qu'il venait juste de passer au-dessus d'elle, décrire un cercle et s'immobiliser à son aplomb. Elle allongea le bras pour écarter du visage ridé une mèche humide. Puis elle prit dans la sienne l'une des vieilles mains glacées et la tapota gentiment: «Tout va bien. Le cauchemar est terminé. Tout va s'arranger, vous verrez!»

Dans le tintamarre du moteur, la vieille dame ne risquait pas d'entendre. Pourtant, juste à ce moment, elle souleva les paupières et eut une sorte de sourire.

Sélectionne...

1. Quelles difficultés Betty affronte-t-elle en tentant de sauver Moggs? Comment les résout-elle? Présente tes réponses dans un tableau.

Partie	Difficulté	Solution
— 1 —	La vieille Moggs ne veut pas laisser sa maison à cause de ses chats.	Betty lui dit que ses chats sont en sécurité.

Réagis...

2. Aimerais-tu que Betty soit ton amie? Pourquoi?

Explique...

3. Quels moyens as-tu utilisés pour découvrir le sens des mots *gagna le seuil*? *déportait*? *empêtrée*? *cala*?

4. De qui parle-t-on dans l'extrait «elle réussit enfin à tirer son fardeau de l'eau»?

5. Lequel de tes sens – ouïe, odorat, vue, toucher, goûter – est sollicité dans les expressions «un concert de gargouillis lamentables»? «toutes sortes de doigts crochus se mirent à l'agripper»? «elle prit dans la sienne l'une des vieilles mains glacées»? «le tintamarre du moteur»?

6. Repère des phrases longues dans ce récit et nomme les moyens qui t'aident à les comprendre.

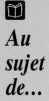

Au sujet de...

Dans le texte *L'inondation*, j'ai trouvé deux phrases de plus de 30 mots!

Devant une phrase longue...

1. Je fais des groupes de sens.

2. J'utilise les virgules comme indices de séparation.

3. Je dis chaque partie dans mes mots.

4. Je relis et parfois je saute un groupe de mots ou j'associe des groupes de mots.

5. Je retiens l'idée essentielle et je continue à lire.

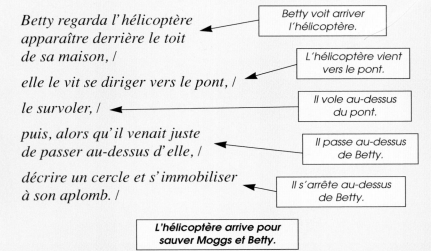

Betty regarda l'hélicoptère apparaître derrière le toit de sa maison, / → Betty voit arriver l'hélicoptère.

elle le vit se diriger vers le pont, / → L'hélicoptère vient vers le pont.

le survoler, / → Il vole au-dessus du pont.

puis, alors qu'il venait juste de passer au-dessus d'elle, / → Il passe au-dessus de Betty.

décrire un cercle et s'immobiliser à son aplomb. / → Il s'arrête au-dessus de Betty.

L'hélicoptère arrive pour sauver Moggs et Betty.

Illustration : Bruno St-Aubin

À l'essai !

1. Lis les phrases suivantes en utilisant les moyens proposés dans la note de lecture. Si l'exercice est recouvert d'un acétate, laisse des traces de ton travail de compréhension.

a) Lentement, sous ses yeux hagards, la vieille caravane délabrée achevait de chavirer et de s'enfoncer sous l'eau, dans un concert de gargouillis lamentables.

b) Trop épuisée pour nager réellement, Betty n'avait plus que la force de maintenir hors de l'eau son menton et celui de Moggs.

c) Betty chercha de ses pieds, à tâtons, une branche assez ferme pour soutenir son poids, elle s'y cala de son mieux et tenta, de toutes ses forces, de soulever Moggs un peu plus au-dessus de l'eau.

d) Petit à petit, elle gagnait du terrain, et elle réussit enfin à tirer son fardeau de l'eau pour le caler dans la fourche.

e) Tournant le regard de l'autre côté, Betty reconnut sur l'autre rive les deux petites silhouettes de ses frères qui surveillaient le sauvetage et faisaient de grands moulinets avec les bras.

Illustration : Leanne Franson

2. Reformule en quelques mots l'idée essentielle de chaque phrase de l'exercice précédent.

Comment faire un nuage

? • Lorsque tu regardes par la fenêtre, le matin, comment sais-tu que ce sera une belle journée? une journée pluvieuse? une journée neigeuse?

• Comment sont les nuages lorsqu'il fait beau? lorsqu'il pleut ou lorsqu'il neige?

• Quelles sont tes connaissances sur les nuages?

• Que sais-tu du cycle de l'eau? Décris-le.

Pour mieux connaître les nuages, fabriques-en un.

P Je repère les actions.

1. Remplis d'eau très chaude une bouteille en plastique transparent ou en verre. Ta bouteille doit ressembler à celle de la photo.

P Je prévois.

2. Laisse l'eau chaude dans la bouteille pendant quelques minutes.

3. Vide la moitié de l'eau de la bouteille.

4. Dépose un glaçon sur le goulot de la bouteille et place-la devant un carton noir.

5. Regarde ce qui se produit à l'intérieur de la bouteille.

Photo: Arto Do Kouzian

J'explique un phénomène.

• Que s'est-il passé au cours de cette expérience? Comment expliques-tu ce résultat?

La tête dans les nuages

- Décris les transformations de l'eau en utilisant les mots *évaporation*, *condensation* et *précipitations*.
- Pour en savoir davantage sur les nuages et les précipitations, lis le texte qui suit.

Quel temps fait-il aujourd'hui? Pour répondre à cette question, tu regardes généralement par la fenêtre. Tu as raison de le faire. Il suffit d'observer les nuages pour en savoir un peu plus sur le temps qu'il fait. Dans ce texte, tu te familiariseras avec la naissance, la composition et les noms des nuages. Tu apprendras l'origine du brouillard et de la brume. De plus, tu connaîtras les secrets de la transformation des nuages en pluie ou en neige.

 Je lis les sous-titres.

Je fais appel à mes connaissances.

Comment naissent les nuages?

L'histoire d'un nuage commence au sol. Les rayons du soleil réchauffent le sol, qui communique sa chaleur à l'air environnant. L'air chaud, qui est léger, a tendance à s'élever. En montant, il se refroidit. La vapeur contenue dans l'air se condense alors et se métamorphose en fines gouttelettes qui forment un nuage.

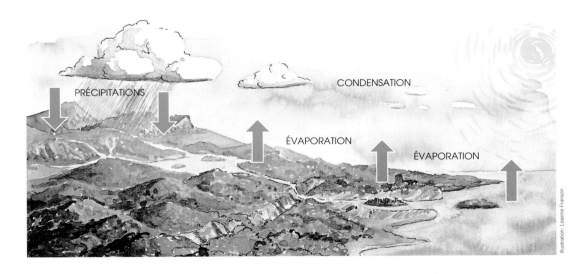

Qu'y a-t-il dans un nuage?

Devant une phrase longue, je...

en suspension?

On a l'impression que les nuages sont cotonneux et moelleux comme de la ouate. Mais ce n'est qu'une impression. Si tu pouvais t'approcher d'un nuage, tu constaterais qu'il est formé de gouttelettes d'eau et de glace en suspension dans l'air. En fait, il y a une multitude de gouttelettes dans un nuage: plus d'un milliard!

73

Quels sont les noms des nuages?

Il existe trois grandes familles de nuages: les *cumulus*, les *stratus* et les *cirrus*.

Les *cumulus* ont une base aplatie et un sommet en forme de chou-fleur. Ils sont généralement synonymes de beau temps, mais ils peuvent s'assembler pour former des nuages de pluie. Lorsqu'ils sont très gros et très sombres, ils sont porteurs d'orage.

M synonymes de beau temps?

Photo: Environnement Canada

Les *stratus* sont des nuages qui apparaissent bas dans le ciel. Ils le couvrent d'un manteau gris à travers lequel on peut parfois voir des trouées de ciel bleu. Ces nuages apportent une pluie fine et régulière ou une averse de neige.

M trouées?

P ces nuages?

Photo: Environnement Canada

Les *cirrus* sont de fins nuages qui ressemblent à des mèches de cheveux. Ils apparaissent très haut dans le ciel et annoncent un changement de temps.

Photo: Environnement Canada

Photo: Environnement Canada

D'où viennent le brouillard et la brume?

M au fur et à mesure?

Le brouillard et la brume sont des nuages qui touchent le sol. Quand ces nuages empêchent de voir les maisons voisines, on les appelle *brouillard*. Autrement, on parle de *brume*. Ce type de nuage apparaît quand l'air se refroidit près du sol. La vapeur d'eau contenue dans l'air se change alors en gouttelettes d'eau. Au fur et à mesure que l'air se réchauffe, le brouillard et la brume disparaissent. Les gouttelettes d'eau retournent alors à l'état de vapeur dans l'air. Le brouillard et la brume se déposent parfois en fine couche de glace, le *givre*.

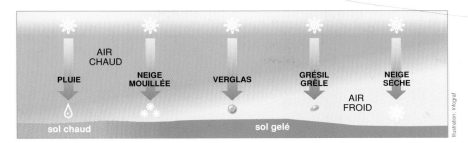

Illustration : Infograf

Pluie ou neige?

Dans un nuage, les gouttelettes s'assemblent pour former une goutte. Il faut près d'un million de gouttelettes pour faire une seule goutte de pluie! Lorsque l'air ne peut plus les soutenir, les gouttes tombent. Si elles traversent de l'air doux, elles arriveront au sol sous forme de pluie ou de neige mouillée. Si elles traversent de l'air froid et tombent sur un sol gelé, ce sera du verglas, du grésil, de la grêle ou de la neige. On appelle *précipitations* toutes les formes d'eau qui tombent du ciel.

Comme tu le vois, observer les nuages peut t'en apprendre beaucoup sur le temps qu'il fait ou qu'il fera.

Sélectionne...

 1. Comment naissent les nuages?

2. De quoi sont faits les nuages?

3. Dans un tableau, dessine les types de nuages, décris-les et mentionne les indications qu'ils donnent sur le temps.

Nuage	Description	Indications sur le temps

4. Qu'est-ce que le brouillard? la brume?

5. Lorsque tu vois un gros nuage gris, comment sais-tu s'il tombera de la pluie ou de la neige?

Explique...

6. Comment as-tu fait pour découvrir le sens des mots ou des expressions *en suspension*? *synonymes de beau temps*? *trouées*? *au fur et à mesure*?

7. Que remplacent les mots de substitution des étiquettes-stratégies P ces nuages? P les? ?

8. Quels moyens as-tu utilisés pour lire la phrase «Si tu pouvais t'approcher d'un nuage, ... dans l'air.» (3e paragr.)?

9. Quel lien dois-tu faire pour comprendre la phrase «Autrement, on parle de brume.» (8e paragr.)?

- Observe le temps qu'il fait au cours des prochaines semaines.
- Quels symboles peux-tu utiliser pour décrire le temps qu'il fait?
- Comment peux-tu savoir s'il a beaucoup plu?
- En équipes, fabriquez un instrument pour mesurer les chutes de pluie.
- À la fin de chaque jour de pluie, notez la quantité d'eau tombée. Comparez vos données avec celles des autres élèves.
- Qu'as-tu appris sur le cycle de l'eau? les nuages?

Qu'est-ce qui différencie le nom et le verbe ?

Pourquoi est-ce important de reconnaître les verbes dans une phrase ?

Le verbe

1. Le verbe est un mot qui indique souvent une action.
2. Le verbe peut être précédé de **je**, **tu**, **il**, **elle**, **on**, **nous**, **vous**, **ils** ou **elles**.
3. Le verbe est un mot qui se conjugue.
4. Le verbe peut être encadré par **ne ... pas**.
5. Le verbe se modifie selon le temps qu'il indique.

À l'essai !

1. Trouve les verbes dans le texte et remplis un tableau.

Verbe	Précédé d'un pronom	Encadré par **ne...pas**	Conjugué	
			présent	futur
travaillent	non	non	oui	

À Tournevent

Dans la localité de Tournevent, des chercheurs travaillent activement à la conception d'une machine étonnante. Lorsqu'elle sera au point, cette machine fabriquera le temps. Le maire consulte actuellement tous les résidants du village. Il ne prévoit pas de mésentente. Il établira bientôt un horaire du temps au goût des citoyens. Comme ça, tout le monde sera content !

2. Trouve l'infinitif des verbes de l'exercice précédent.

3. Trouve les verbes conjugués et les verbes à l'infinitif dans ces phrases. Écris-les.

   a) Dans un nuage, les gouttelettes s'assemblent pour former une goutte.

   b) Comme tu le vois, observer les nuages peut t'en apprendre beaucoup sur le temps qu'il fait ou qu'il fera.

4. Dans les phrases suivantes, le mot *porte* est-il un verbe ou un nom ? Justifie tes réponses.

   On sonne à la **porte**. C'est le maire de Tournevent.
   Il **porte** un imperméable jaune.

Pour trouver l'infinitif d'un verbe, lève-toi et dis : «Tu dois...»

Illustrations : Bruno St-Aubin

1. Trouve les verbes dans le texte *Un discours étonnant!* et classe-les dans un tableau.

Verbe	Précédé d'un pronom	Encadré par **ne...pas**	Conjugué	
			présent	futur

Un discours étonnant!

Le maire prononce un discours sur le temps. «Chers citoyens, dit-il, voici le résultat de la consultation. Dorénavant, à Tournevent, le lundi et le mardi, le soleil brille. Le mercredi, il ne montre pas sa face: il pleut. Les légumes et les fleurs des potagers referont leurs forces et les vers de terre prendront l'air. Nous ne voulons pas plus d'un orage par mois!

2. Trouve 10 verbes conjugués dans le texte et indique l'infinitif de ces verbes.

Un discours étonnant! (suite)

À partir de maintenant, les jeudis, de forts vents souffleront sur le village. Ils seront utiles au meunier: son moulin à vent tournera à plein régime. Les enfants du village joueront avec leurs cerfs-volants. Le vendredi, le brouillard tombe sur Tournevent. Une bruine très fine rafraîchit l'atmosphère. La fin de semaine, le soleil revient. Il agrémente les pique-niques, les promenades en vélo et le jardinage.»

Puis le maire tousse et il ajoute un peu nerveusement: «Cet horaire débutera dès que les chercheurs présenteront leur fameuse invention. Nous ne savons pas quand...»

Monsieur le maire, nous ne sommes pas des valises...

Illustration: Bruno St-Aubin

3. Raconte ce que font les personnages et les animaux de cette illustration. Écris tes phrases et souligne les verbes.

Illustration: Johanne Pépin

4. Trouve les quatre noms du dernier paragraphe du texte *Un discours étonnant! (suite)*.

5. Trouve les verbes et les noms dans ces séries de mots de la même famille. Attention! il peut y avoir plus d'un nom dans une même série.

    a) pluie, pluviomètre, pleuvoir, pluvieux.

    b) ventilateur, vent, venter, venteux.

    c) soleil, solaire, ensoleiller, solarium.

    d) nuage, nuageux, ennuager, nébuleux.

    e) humide, humidité, humidificateur, humidifier.

6. Classe les 13 verbes conjugués et les sept verbes à l'infinitif du texte *Fabriquer la pluie*.

Verbes conjugués	Verbes à l'infinitif

Fabriquer la pluie

Depuis toujours, les hommes rêvent de contrôler la température. Les peuples primitifs dansaient pour appeler la pluie. Ils offraient aussi des animaux à leurs dieux. Ils espéraient ainsi que ceux-ci accepteraient d'arroser leurs récoltes. De nos jours, les chercheurs font des expériences pour provoquer la pluie. Leur idée est simple: ils désirent augmenter la grosseur des gouttelettes d'eau d'un nuage jusqu'à ce qu'elles tombent. Pour y arriver, ils bombardent les nuages avec un produit chimique. Cependant, il reste encore beaucoup de recherche à faire pour que les humains décident du temps qu'il fera!

7. Trouve l'infinitif des verbes conjugués de l'exercice précédent.

Délire de lire

Sous d'autres cieux

Quel livre lirais-tu…
*   sur la plage, sous un soleil brûlant?
*   sous une galerie, lors d'un orage estival?
*   dans le désert, à dos de chameau?
*   sur une banquise, dans le Grand Nord?
*   sur un voilier, en solitaire sur la mer?

Écris la référence d'un de tes choix: auteur ou auteure, titre, maison d'édition, année de publication, collection. Explique le lien que tu fais entre le climat et le titre ou le contenu du livre que tu suggères.

Moi, je lirais *L'inondation* lors d'un gros orage.

Par tous les temps

? • Comment peux-tu décrire le temps qu'il fait?

• De quelle façon peux-tu noter tes observations?

Je collabore au
travail d'équipe.

••• 1. En équipes, discutez d'une façon de noter dans un tableau les
données que vous recueillerez sur le temps.
Présentez votre choix à la classe.

2. Chaque jour, à la même heure, notez dans votre tableau les
informations suivantes :

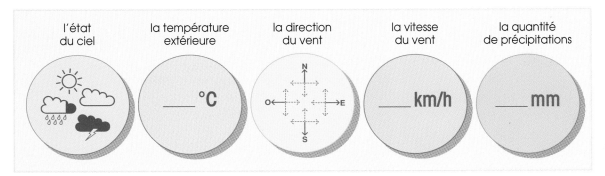

l'état
du ciel | la température
extérieure | la direction
du vent | la vitesse
du vent | la quantité
de précipitations

3. Comparez vos données avec les prévisions météorologiques
parues dans les journaux. Quelle différence remarquez-vous?
Quels sont les autres renseignements fournis par les journaux?

Comment faire?

Pour analyser l'information recueillie dans un tableau, porte attention à
une seule catégorie de données à la fois. Que peux-tu dire sur:
– la température?
– la vitesse du vent?
– la direction du vent?
– les précipitations?
– l'état du ciel?

Regarde ensuite l'ensemble des données recueillies et établis des liens
entre deux aspects à la fois. Que peux-tu dire sur:
– la température et les précipitations?
– la température et la vitesse du vent?
– la température et l'état du ciel?
– la direction et la vitesse du vent?
– les précipitations et l'état du ciel?

! • Qu'est-ce que tu as appris en observant le temps?

Une journée mémorable

Raconte un événement, une aventure ou un fait cocasse où la météo a joué un rôle.

1. Planifie

4.3.2 ▷

- ✓ Endroit
- ✓ Personnes
- ✓ Activité
- ✓ Température
- ✓ Réactions

2. Rédige

Traduis en phrases les idées de ton plan. Si tu es à court d'idées, relis à mi-voix la partie de texte que tu viens d'écrire.

M Je souligne les mots incertains.

T Je précise…

3. Révise

Relis ton texte. Apporte des précisions sur le comportement des personnages, leurs réactions et les éléments du décor.

Termine l'étape de révision par un sprint collectif.

P Je relis chaque phrase.

P Je reconnais les noms.

A ▷

Après beaucoup d'énervement, nous nous retrouvons finalement à l'abri. La nouvelle tente mesure à peine un mètre de haut. À quatre pattes dans la tente, papa se gratte la tête.

Illustrations : Céline Malépart

4. Diffuse

Reliez tous vos textes pour en faire un album. Exposez-le avec vos autres travaux lors de la remise des bulletins.

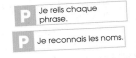

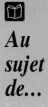

Au sujet de...

Pour en finir avec l'étude de tous les verbes semblables à *finir*, consulte ce tableau de conjugaison.

Est-ce que je pourrai conjuguer des verbes comme *choisir, réussir, dormir, remplir, partir, nourrir* et d'autres verbes en *ir*?

Finir

Présent de l'indicatif	Imparfait de l'indicatif	Futur simple de l'indicatif	Conditionnel présent
je fin**is** tu fin**is** il, elle fin**it** nous finiss**ons** vous finiss**ez** ils, elles finiss**ent**	je finiss**ais** tu finiss**ais** il, elle finiss**ait** nous finiss**ions** vous finiss**iez** ils, elles finiss**aient**	je fini**rai** tu fini**ras** il, elle fini**ra** nous fini**rons** vous fini**rez** ils, elles fini**ront**	je fini**rais** tu fini**rais** il, elle fini**rait** nous fini**rions** vous fini**riez** ils, elles fini**raient**

À *l'essai !*

Repère les formes du verbe *finir* dans le texte. Classe-les dans un tableau.

Présent de l'indicatif	Imparfait de l'indicatif	Futur simple de l'indicatif	Conditionnel présent

Des vacances à l'eau !

Nous étions en camping depuis plusieurs jours et la pluie n'en finissait plus de tomber. Mes deux sœurs, elles, n'en finissaient plus de se plaindre. «La pluie finira bientôt», disait mon père. «Sinon nous finirons par loger à l'hôtel», ajoutait ma mère.

Dès que le soleil se montrait, nous applaudissions, mais de lourds stratus couvraient à nouveau le ciel et le soleil disparaissait. «Je savais que ça finirait comme ça encore aujourd'hui», gémissait ma sœur Françoise.

Après un certain temps, j'ai cessé de prêter attention à la pluie ou aux nuages. Je me divertissais à l'aide d'un livre d'aventures extra-ordinaires qui se déroulaient sous le soleil du Mexique. J'étais certaine que les deux héros finiraient par vaincre le misérable Sancho Villenne. «Si tu finis ce livre avant le retour du beau temps, j'aimerais que tu me le prêtes», me dit mon autre sœur, Carmen. Ce ne fut pas nécessaire. La pluie cessa comme je finissais mon roman d'aventures. «Un livre, c'est le meilleur remède contre la pluie!» a alors dit mon père en riant.

Illustration : Bruno St-Aubin

Illustration : Johanne Pépin

À ton tour !

1. Complète les phrases suivantes en utilisant le verbe *finir* au temps indiqué.

Par tous les temps...

a) Je (futur simple de l'indicatif) ✎ ce travail dans cinq minutes, puis nous profiterons du beau temps pour aller jouer dehors.

b) Chaque jour, il (présent de l'indicatif) ✎ de souper vers 6 heures, puis il sort pour marcher, beau temps mauvais temps !

c) Je l'attends d'une minute à l'autre. Je suis certaine qu'il (futur simple de l'indicatif) ✎ par arriver.

d) Actuellement, mon frère et ma sœur (présent de l'indicatif) ✎ de ramasser les feuilles tombées des arbres.

e) Quand j'étais petite, même lorsqu'il pleuvait, je (imparfait de l'indicatif) ✎ toujours par réussir à sortir dehors.

f) Si tu le voulais vraiment, tu (conditionnel présent) ✎ par trouver des activités intéressantes en dépit du mauvais temps.

g) Si nous (imparfait de l'indicatif) ✎ nos devoirs, nous pourrions aller jouer dehors.

2. Dans les phrases suivantes, trouve d'autres verbes en *ir* qui se conjuguent comme *finir*. Écris-les à l'infinitif.

a) La rigole se remplissait d'eau.

b) Dès que le soleil se montrait, nous applaudissions.

c) Ma sœur Françoise gémissait.

d) Je me divertissais à l'aide d'un livre d'aventures.

Illustrations: Joanne Ouellet

3. Complète une grille semblable à la suivante à l'aide des mots de la rubrique «Mot à mot».

a) Remettre quelque chose à quelqu'un.

b) Mettre quelque chose dans sa main.

c) Contraire de *distraction*.

d) Acquérir des connaissances.

e) Prendre de nouveau.

f) Mot interrogatif.

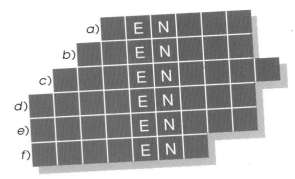

4. Classe 10 mots de la rubrique «Mot à mot» dans un tableau semblable à celui-ci.
   Souligne les lettres qui comportent un piège.

Son difficile	Finale muette	Double lettre
ex*em*ple	commen*t*	cha*ss*e

5. Voici quelques mots qui contiennent la lettre **x**.
   Classe-les dans un tableau.

deux   exercice   six   taxe   excuse   exagérer
perdrix   heureux   dix   exiger   explication

Soigne ta calligraphie !

Lettre **x**			
muet	(gz)	(ks)	(s)

6. Trouve dix mots qui se terminent par *endre*.

Mot à mot

Illustration : Bruno St-Aubin

4.3.3 ▶

chasse	reprendre	ces
comment	saison	c'est
exemple	sans	clair
glace	soirée	combien
mieux	trop	quoi
octobre	zéro	
point	près	
pourquoi	apprendre	
prendre	attention	
rendre	ce	

Illustration : Johanne Pépin

Terres et forêts *(1re partie)*

Alain Parent

? • Que sais-tu du paysage de ta localité ?

• Que sais-tu du paysage qu'il y a au-delà des limites de ta localité ?

• Parmi ces photos, laquelle ou lesquelles ressemblent le plus au paysage de ta région ? Pourquoi ?

••• • Avant de décrire le paysage de ta région, apprends à reconnaître les différentes formes de terrain. Pour t'aider, cache le texte correspondant à chaque forme de terrain à l'aide d'une bande de papier. Décris dans tes mots ce que tu vois sur la photo, puis enlève la bande de papier et lis le texte.

Je me questionne.

Pour faire un portrait de ta région, tu dois décrire ses traits physiques, un peu comme tu décrirais les traits d'une personne. Les traits physiques d'un paysage naturel, ce sont les formes de terrain, la végétation et les étendues d'eau.

Les formes de terrain: le relief

La surface de la terre n'est pas uniforme. Elle est couverte de creux et de bosses. Ces formes sont appelées le *relief*. Voici quelques types de relief.

La plaine

Une plaine est une vaste étendue de terrain plate ou onduleuse.

Généralement, les sols plats des plaines sont fertiles. Au Québec, on y cultive des fruits et des légumes; on y pratique aussi l'élevage. Comme il est facile de se déplacer dans la plaine, elle est souvent très peuplée.

J'utilise les illustrations et les photos.

Le plateau

Un plateau est une étendue de terrain qui domine les environs. Sa surface est parfois onduleuse.

 domine?

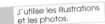 impropre?

Le sol des plateaux est généralement impropre à la culture. Au Québec, on y trouve des forêts et des étendues d'eau, qui font la joie des vacanciers.

Le plateau est le type de relief le plus répandu de la province de Québec.

La colline

Une colline est une forme de terrain moyennement élevée, aux pentes douces et boisées.

Au Québec, les pentes des collines sont parfois transformées en pâturages ou en plantations d'arbres fruitiers. Elles peuvent aussi être aménagées en parcs ou en stations de ski.

Lorsqu'une colline est isolée, on peut l'appeler *mont*.

Photo: MAPAQ

La montagne

Une montagne est une forme de terrain très élevée, aux pentes abruptes et habituellement boisées.

Au Québec, on pratique la coupe de bois dans les territoires montagneux. On y fait aussi de la randonnée.

Une suite de montagnes rattachées entre elles se nomme *chaîne de montagnes*.

Photo: Tourisme Estrie

La vallée

Une vallée est une forme de terrain peu élevée où coule un cours d'eau. La vallée peut être dominée par des collines, des montagnes, un plateau ou une plaine.

Au Québec, les larges vallées sont très peuplées et on y pratique beaucoup l'agriculture.

Photo: D. Mauger

Réagis…

 1. Qu'as-tu appris en lisant ce texte?

Agis et sélectionne…

2. Reproduis chaque forme de terrain avec ton corps en imitant les positions prises par les enfants sur les illustrations.

Je relis au besoin…

3. Associe chaque forme de terrain à ses caractéristiques.

Explique…

4. Compare les définitions de la colline et de la montagne dans le texte. Quels mots sont identiques? Quels mots sont différents? Quels mots permettent de différencier la colline et la montagne?

5. Quels moyens as-tu pris pour comprendre les mots *domine*? *impropre*? *pâturages*? *être aménagées*? *pentes abruptes*?

Vu du sommet

 • Observe des photos ou des diapositives de paysages de ta région. Porte attention aux activités que les gens font dans ces paysages et décris ces activités.

📢 Je décris…

• Dans quelle partie de ta région le relief est-il le plus élevé? le moins élevé?

| Quelques sommets du Québec ||
Monts	Altitude
Mont D'Iberville	1 622 m
Mont Jacques-Cartier	1 268 m
Mont Logan	1 136 m
Mont Veyrier	1 104 m
Mont Mégantic	1 100 m
Mont Sainte-Anne	1 052 m
Mont Sutton	972 m
Mont Tremblant	968 m
Mont Valin	968 m
Montagne Noire	892 m
Mont Orford	881 m
Mont Sainte-Marguerite	698 m
Mont Louis-Georges-Morin	579 m
Montagne des Lacs George	472 m
Montagne de la Tour	442 m
Mont Saint-Hilaire	411 m
Mont Royal	233 m

DANS TA RÉGION?

Chaînes de montagnes du Québec

Monts Torngat
Les Appalaches
Les Laurentides

• Quels sommets du Québec sont situés dans ta région?

• Quelle chaîne de montagnes traverse ta région?

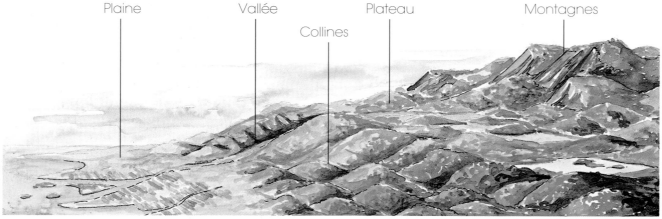

Plaine   Vallée   Collines   Plateau   Montagnes

Illustration: Leanne Franson

Ton cerveau est comme un ordinateur. Démarre-le avant de commencer à lire !

Avant la lecture d'un texte informatif, je dois...

1. Savoir ce que je cherche.
2. Prévoir le contenu du texte.
3. Penser à ce que je sais déjà sur le sujet.

Illustration : Bruno St-Aubin

À l'essai !

1. À quel conseil de la note de lecture associes-tu chacune des stratégies qui suivent ?

   a) **T** Je lis les sous-titres.

   b) Je lis ce texte pour…

   c) Je fais appel à mes expériences.

   d) **T** Je lis le début des paragraphes.

   e) J'utilise les illustrations.

   f) Je fais appel à mes connaissances.

   g) **T** Je lis l'introduction et je me questionne.

   h) Je survole le texte.

2. Avant de commencer à lire un texte informatif, quelles sont les stratégies que tu utilises le plus ? le moins ? Pourquoi ?

3. Observe la deuxième partie du texte *Terres et forêts*.
   Applique les conseils de la note de lecture pour compléter les phrases.

   a) Je pense que ce texte parlera de… parce que…

   b) Je pourrais lire ce texte pour… Voici les questions que je me pose :

   c) Voici ce que je sais sur la végétation et la forêt du Québec :

Illustration : Johanne Pépin

Terres et forêts *(2ᵉ partie)*

La végétation: les types de forêts

Pour décrire une région, on peut parler de son relief, mais aussi de ses forêts. Une forêt est une grande étendue couverte d'arbres. Au Québec, la forêt pousse souvent sur un terrain vallonné ou montagneux. On y trouve trois types de forêts: mixte, boréale et subarctique.

M vallonné?

Je fais appel à mes connaissances.

La forêt mixte

La forêt mixte est composée d'un mélange d'arbres feuillus et de conifères.

On trouve la forêt mixte au sud du Québec, par exemple dans les régions administratives de l'Estrie, des Laurentides et de la Montérégie.

Photo: C. Larose

La forêt boréale

La forêt boréale est surtout composée de conifères tels que les épinettes et les sapins.

La forêt boréale couvre un vaste territoire du Québec, surtout situé au nord, par exemple dans les régions administratives de l'Abitibi-Témiscamingue et du Saguenay–Lac-Saint-Jean.

Cette forêt fournit du bois aux industries de la construction et des pâtes et papiers.

Photo: MRN

La forêt subarctique ou taïga

La forêt subarctique est surtout composée de petites épinettes dispersées.

On trouve la forêt subarctique encore plus au nord du Québec, par exemple dans la région administrative du Nord-du-Québec.

Photo: MRN

Photo: Hydro-Québec

Il existe aussi un autre type de végétation dans les espaces très froids de la région du Nord-du-Québec : la *toundra*. C'est une étendue sans arbres où il ne pousse que de la mousse et des herbes.

M toundra?

Sélectionne…

 1. À l'aide des lettres appropriées, associe chaque type de forêt à sa description et à sa situation.

Type de forêt	Description	Situation
A Forêt subarctique	D Forêt de conifères (épinettes, sapins)	G Sud du Québec
B Forêt mixte	E Forêt surtout composée d'épinettes de petite taille dispersées	H Nord du Québec
C Forêt boréale	F Forêt composée d'un mélange de conifères et de feuillus	I Plus au nord du Québec

Explique…

2. Quelle information du texte t'a permis d'utiliser tes connaissances et tes expériences ?

Conifères ou feuillus?

Je relis au besoin.

••• • Décris la végétation de ta région. Quelle utilisation fait-on de la forêt?

• Quel type de forêt y a-t-il dans ta région? Consulte le tableau pour savoir s'il y a surtout des conifères ou un mélange d'arbres feuillus et de conifères.

T Je lis les titres des colonnes.

DANS TA RÉGION?

Types d'arbres des forêts québécoises		
Région administrative	▲ **Conifères**	● **Arbres feuillus**
01 Bas-Saint-Laurent	▲▲▲▲▲▲	●●●●
02 Saguenay–Lac-Saint-Jean	▲▲▲▲▲▲▲▲	●●
03 Québec	▲▲▲▲▲▲▲	●●●
04 Mauricie–Bois-Francs	▲▲▲▲▲	●●●●
05 Estrie	▲▲▲	●●●●●●●
06 Montréal		●●●●●●●●●●
07 Outaouais	▲▲▲	●●●●●●●
08 Abitibi-Témiscamingue	▲▲▲▲▲▲	●●●●
09 Côte-Nord	▲▲▲▲▲▲▲▲	●●
10 Nord-du-Québec	▲▲▲▲▲▲▲▲▲	●
11 Gaspésie–Îles-de-la-Madeleine	▲▲▲▲▲▲▲	●●●
12 Chaudière-Appalaches	▲▲▲▲▲	●●●●●
13 Laval	▲	●●●●●●●●●
14 Lanaudière	▲▲▲▲▲	●●●●●
15 Laurentides	▲▲▲	●●●●●●●
16 Montérégie	▲▲	●●●●●●●●

Compilé selon les données du ministère des Ressources naturelles, tirées de *Ressource et industrie forestières: portrait statistique*, 1994.

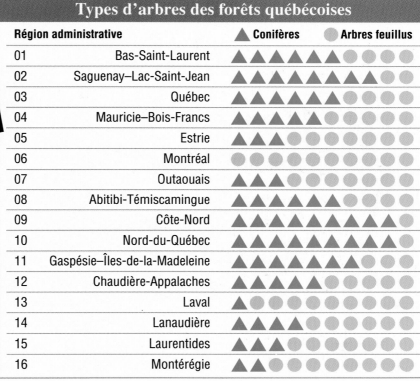

Photo: La terre de chez nous

Photo: MRN

Photo: R. Gagnon

Photo: R. Lambert

J'utilise un vocabulaire précis.

! • Décris le relief et la végétation de ta région. Comment as-tu appris ce que tu sais maintenant du relief et de la végétation de ta région?

• Crée un logo représentant le paysage de ta région. Choisis une forme très simple pour illustrer le relief de ta région et une autre pour illustrer sa végétation. Harmonise les deux formes. Au thème suivant, tu pourras y ajouter une forme illustrant les étendues d'eau.

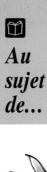

Illustration : Bruno St-Aubin

À l'essai !

En équipes, choisissez une des listes de mots suivantes et trouvez le féminin de ces mots.
Formulez ensuite une règle liée à votre liste de mots.

A

un enseignant
un surveillant
un ami
un cousin
un voisin
un avocat

B

un spectateur
un auditeur
un éducateur
un acteur
un lecteur
un directeur

C

un danseur
un chanteur
un nageur
un plongeur
un chercheur
un campeur
un vendeur

D

un sportif
un veuf
un émotif
un auditif
un fugitif

E

un frère
un oncle
un roi
un coq
un père
un parrain
un homme

F

un lion
un comédien
un musicien
un criminel
un intellectuel
un chat
un cadet

G

un secrétaire
un concierge
un juge
un arbitre
un photographe
un élève
un journaliste

H

un conseiller
un épicier
un écolier
un boulanger
un fermier
un infirmier
un policier

Voici des règles que j'ai trouvées sur le féminin des noms.

Est-ce qu'on peut mettre au féminin des noms comme *tracteur*? *téléviseur*? *panier*?

+ e
teur → trice
eur → euse
er → ère

Le genre des noms

1. Un nom est masculin ou féminin.
   le fleuve   *la mer*
   le soleil   *la maison*

2. Les noms de personnes ou d'animaux sont aussi masculins ou féminins.

   Souvent, le féminin et le masculin de ces noms se ressemblent.
   un ami   *une amie*
   un policier   *une policière*
   un directeur   *une directrice*
   un danseur   *une danseuse*
   un chien   *une chienne*

   Parfois, ils sont différents.
   un bœuf   *une vache*
   un garçon   *une fille*

   Parfois, ils sont pareils.
   un élève   *une élève*
   un ministre   *une ministre*

Illustration: Bruno St-Aubin

À ton tour!

1. Dans ce texte, change le genre des noms en caractères gras.
   N'oublie pas de modifier aussi les déterminants.

La catastrophe imprévisible

Depuis le début de l'année scolaire, les élèves de quatrième année préparent un spectacle sur la légende de Tranchemontagne, [1]**géant** de la région de Shawinigan. Tous les élèves ont des responsabilités et plusieurs adultes participent au projet. Des parents du comité d'école aident [2]**le costumier**, [3]**la maquilleuse** et [4]**le coiffeur**. [5]**L'enseignante** de musique prodigue ses bons conseils [6]**à la technicienne** du son. [7]**La guichetière** reçoit un coup de main [8]**de la secrétaire** de l'école pour l'impression des billets. Tout va bon train! Régulièrement, [9]**le directeur** de l'école assiste aux répétitions. Mais voilà que, la veille du spectacle, une catastrophe imprévisible survient! [10]**L'acteur** qui joue le rôle principal a une extinction de voix. [11]**Les comédiens** sont dans tous leurs états! Que faire?

Illustration: Johanne Pépin

2. Repère 15 noms dans ce texte et classe-les selon leur genre. Consulte ton dictionnaire au besoin.

Un beau coin de pays

«Pour découvrir l'un des plus beaux paysages de ta région, regarde cette photo, me dit grand-père. Que vois-tu?

– Je vois des prés couverts d'une herbe verdoyante et de quelques espaces jaunis par le soleil. Tous les champs sont délimités par des clôtures basses. À gauche, il y a des collines couvertes d'arbres fruitiers. Plus loin, on distingue une montagne peuplée de conifères et de feuillus. De minuscules camions semblables à des fourmis s'y promènent.

– N'est-ce pas qu'il est bien joli, notre petit coin de pays?» ajoute grand-père.

Illustration : Johanne Pépin

À vos marques !

1. Trouve le féminin de chacun des noms et inscris-le dans un tableau semblable à celui-ci.

Double consonne + e	teur →trice	eur →euse	er →ère	f →ve	Même forme

le patron	l'animateur	le rêveur	l'aviateur	un agronome
l'acupuncteur	le dentiste	le couturier	le pharmacien	un conseiller
le dompteur	le politicien	un médecin	un intuitif	un ouvrier
le cascadeur	le veuf	le sportif	un courtier	un musicien

2. Trouve le féminin de ces noms dans ton dictionnaire.

un héros   un maître   un copain   un prince   un époux   un jumeau   un professionnel

3. Doit-on employer *un* ou *une*? Vérifie le genre des noms suivants dans ton dictionnaire. Note tes réponses.

affiche	autobus	éclair	image
aventure	église	ouragan	orteil
étoile	école	idée	oreiller

Le cheval du nord

Robert Piette

• Lis ce texte pour découvrir les exploits d'un garçon surnommé «Le cheval du nord». Note ce qui te surprend dans ce récit.

Je suis sensible à mes réactions.

Alexis aimait s'inventer toutes sortes de jeux. Comme tous les enfants de son âge, il avait beaucoup d'imagination. Mais il était aussi un peu différent des autres : il savait courir très vite. Il courait tellement vite qu'aucun de ses amis ne pouvait le suivre. Sa famille ne s'étonnait plus de le voir arriver ou décamper à toute vitesse. Quand une silhouette passait en coup de vent, sa mère disait toujours :

M silhouette ?

« Tiens, encore Alexis qui fait la course. »

P Je remplace les pronoms.

Les années passaient et Alexis grandissait. Il avait appris le métier de maçon et construisait des fours à pain. Un jour, en revenant de travailler à La Malbaie, il rencontre le docteur qui s'en allait à Saint-Étienne en charrette. Le docteur, très pressé, parce qu'il allait soigner un petit garçon malade, lui offre de monter avec lui. Mais Alexis refuse en disant :

« Non merci, docteur, ça va me retarder. »

Illustration : Joanne Ouellet

Le pauvre docteur n'avait pas parcouru cent mètres qu'il entend un bruit infernal derrière lui. Il se retourne et qu'est-ce qu'il aperçoit? Alexis, dans un nuage de poussière, qui court à toute vitesse et qui se prépare à dépasser sa charrette. Surpris et furieux, il fouette son cheval pour le faire accélérer. Peine perdue. Alexis le dépasse sans difficulté et disparaît à un tournant de la route.

M Peine perdue?

Beaucoup plus tard, en passant devant la maison d'Alexis, quelle ne fut pas sa surprise en l'apercevant assis sur la galerie.

«Incroyable, se dit-il, comment ce garçon a-t-il pu courir si vite?»

P L'exploit?

L'exploit d'Alexis ne tarda pas à faire le tour du village et les gens commencèrent à parler de sa vitesse prodigieuse.

L'hiver, pour occuper ses soirées, Alexis jouait de l'harmonica. Comme il avait beaucoup de talent, les voisins l'engageaient souvent pour jouer dans les soirées. Un soir qu'il jouait à Pointe-au-Pic, un homme s'approche de lui et lui dit:

«Salut, Alexis. Je suis Lambert, le conducteur du train. Que dirais-tu de faire la course contre ma locomotive?»

Amusé, Alexis le regarde et lui répond:

«Pourquoi pas? Avertis tout le monde que je serai à la gare demain matin pour le départ.»

Le lendemain, à l'heure dite, Alexis arrive à la gare. Dès que le sifflet du train retentit, Alexis s'élance sans perdre un instant. Il court ventre à terre... Réussira-t-il? se demandent les gens.

Pendant ce temps, à La Malbaie, quelques curieux attendent la suite des événements. Tout à coup, le sifflet du train retentit au loin. Une silhouette apparaît presque aussitôt. C'est Alexis qui arrive à toute vitesse. Le train n'est pas encore en vue qu'Alexis est déjà sur le quai de la gare, triomphant.

Après cette course mémorable, la renommée d'Alexis s'étendit dans tous les coins du Québec. Alexis n'arrêtait pas de courir. Allant d'une région à l'autre, il travaillait ici et là, répétant partout ses exploits fantastiques. Il courait tout aussi bien contre des chevaux, des trains ou des bateaux. Encore et toujours il était le plus rapide. Jamais on n'avait vu quelqu'un courir aussi vite. C'est pourquoi on le surnomma bientôt « Alexis le trotteur, le cheval du nord ».

© Ovale/Éditions, 1980.

M mémorable?

M renommée?

Illustrations : Joanne Ouellet

Réagis et découvre le personnage...

1. Que penses-tu des événements de ce récit?

2. Alexis est un grand coureur. Trouve deux autres talents d'Alexis mentionnés par Robert Piette.

3. Pourquoi Alexis est-il surnommé «le trotteur» ou «le cheval»?

4. Trouve trois indices du récit qui témoignent du passé. Pour répondre, utilise le texte et les illustrations.

Explique...

5. Quels moyens as-tu utilisés pour comprendre les mots *silhouette*? *peine perdue*? *mémorable*? *renommée*?

6. De qui parle-t-on dans la phrase «Surpris et furieux, il fouette son cheval pour le faire accélérer.»? Comment le sais-tu?

7. Quels mots ou quelles expressions Robert Piette utilise-t-il pour décrire la vitesse?

- Quels sont les modes de locomotion permis sur le trottoir? sur la chaussée? dans les endroits aménagés? Inscris tes réponses dans un tableau. `5.1.1`

Permis sur le trottoir	Permis sur la chaussée	Permis dans les endroits aménagés

- Illustre deux comportements sécuritaires qui impliquent des modes de locomotion sur roues. `5.1.2`

Il court ventre à terre.

Elle va vraiment à toute vitesse. Ils terminent ex-aequo!

Les terminaisons des verbes

Pronoms	Terminaisons	Exemples
il ou **elle**	**d, a, t, e**	*il enten**d**, elle cour**t**, il dépass**e**, elle v**a***
ils ou **elles**	**ent** ou **ont**	*elles attend**ent**, ils v**ont***

Illustration: Bruno St-Aubin

À l'essai!

Conjugue les verbes du texte au présent de l'indicatif, à la troisième personne du singulier. Indique la finale de ces verbes.

Vif comme l'éclair!

Au printemps de 1876, Alexis [1][être] dans sa famille. C'est le temps de retourner la terre et son père [2][labourer] sans arrêt du lever au coucher du soleil. Il [3][prendre] une bouchée à midi et il [4][recommencer] aussitôt, aidé par son fils, Alexis.

Un jour, Monsieur Lapointe [5][casser] une pointe de charrue. Il [6][dire] alors à son fils: «Si tu vas chercher cette pièce rapidement, je te permettrai d'aller veiller ce soir.»

Alexis [7][partir] comme une flèche et se [8][diriger] vers le magasin général, situé à 10 kilomètres de la maison. Croyez-le ou non, Alexis [9][faire] le voyage et l'achat en moins d'une heure!

À ton tour!

1. Conjugue les verbes au présent de l'indicatif, à la troisième personne du singulier.

Qui est Alexis le trotteur?

a) Il [voir] le jour à La Malbaie en 1860.

b) Il [fabriquer] des chevaux miniatures.

c) Il [construire] des fours à pain.

d) Il [parcourir] des distances incroyables.

e) Il [travailler] à la ferme pendant de nombreux étés.

f) Il [s'occuper] de l'entretien de camps de bûcherons.

g) Il [jouer] de la bombarde et de l'harmonica pour amuser ses amis.

Illustration: Joanne Ouellet

2. Complète les phrases suivantes en conjuguant les verbes au présent de l'indicatif, à la troisième personne du singulier (3ᵉ pers. sing.) ou du pluriel (3ᵉ pers. plur.). Indique la finale de chaque verbe.

La fameuse course

Georges et Joseph Tremblay ¹(aller, 3ᵉ pers. plur.) aux États-Unis pour assister à une course à pied. Là-bas, ils ²(rencontrer, 3ᵉ pers. plur.) à l'improviste Alexis « le trotteur ». Ils lui ³(proposer, 3ᵉ pers. plur.) de s'inscrire à la course, mais Alexis ⁴(refuser, 3ᵉ pers. sing.).

Cependant, au moment du départ, il ne tient plus en place. Il ⁵(sauter, 3ᵉ pers. sing.) dans l'arène et se ⁶(mettre, 3ᵉ pers. sing.) à courir à côté des autres, et bientôt devant eux. Il ⁷(exécuter, 3ᵉ pers. sing.) cinq tours pendant que les autres en ⁸(faire, 3ᵉ pers. plur.) deux !

L'assistance ⁹(crier, 3ᵉ pers. sing.), ¹⁰(applaudir, 3ᵉ pers. sing.) et ¹¹(réclamer, 3ᵉ pers. sing.) le prix pour le merveilleux coureur étranger. Le jury ¹²(déclarer, 3ᵉ pers. sing.) qu'il ¹³(attribuer, 3ᵉ pers. sing.) les récompenses à ceux qui se sont inscrits. Alexis ne ¹⁴(gagner, 3ᵉ pers. sing.) donc rien du tout !

Illustration : Joanne Ouellet

3. À l'aide du pronom **il** ou **elle**, conjugue les verbes suivants au présent de l'indicatif. Écris-les dans la colonne appropriée d'un tableau.

Finale **d**	Finale **a**	Finale **t**	Finale **e**

inventer	suivre	décamper	grandir	prendre
avoir	être	dire	apprendre	aller
soigner	attendre	retentir	aimer	surnommer

Illustration : Johanne Pépin

101

Les moyens de transport

Un moyen de transport t'intéresse particulièrement? Tu aimerais en savoir davantage sur le sujet? Cherche de l'information sur ce moyen de transport, puis présente ta recherche aux autres élèves sous forme d'affiche. 5.2.1 a et b ▶

1. Planifie

Formule des questions reliées au sujet que tu as choisi.

Sujet collectif : L'invention de l'avion

1. Quel a été le premier type d'avion ?
2. Qui a eu en premier l'idée de voler ?
3. Quels ont été les premiers objets à se déplacer dans le ciel ?
4. Qui a inventé ces objets ?
5. Comment volaient-ils ?

2. Consulte

Consulte des livres de référence pour répondre à tes questions.

Illustration: Daniel Sylvestre

Le Nouveau Tout Connaître, tome XVI, Montréal, Agence du livre français.

Andrew Nahum, *La Conquête du ciel*, Paris, Gallimard, 1990. (Les yeux de la découverte)

Vol à voile

Le véritable précurseur de l'aviation moderne fut l'ingénieur anglais George Cayley. En 1804, il construisit un modèle réduit de planeur, muni d'ailes fixes et d'un empennage mobile, qui caractérisent depuis les avions de tous types.

David Jefferis, *Les Aviateurs de l'histoire et leurs machines volantes*,
Paris, Hachette Jeunesse, 1991.

Ils ont d'abord découvert l'aérostat...

La première fois que les hommes ont volé, ce n'était pas avec des ailes. En 1783, les frères Montgolfier fabriquèrent un énorme ballon de papier qu'ils emplirent d'air chaud, moins dense et donc plus léger que l'air frais. Sous le regard ébahi des habitants, il s'éleva majestueusement dans le ciel de Paris, chargé de deux passagers.

Andrew Nahum, *La Conquête du ciel*, Paris, Gallimard, 1990.
(Les yeux de la découverte)

Les frères Wright

Le 7 décembre 1903, Orville Wright prouva que l'homme pouvait voler. Propulsé par un moteur à gazoline et deux hélices, le *Flyer* décolla de la piste et s'élança dans le ciel de Caroline du Nord. Ce premier vol ne dura que 12 secondes, mais il reste à jamais inscrit dans l'Histoire.

La réussite de cet essai tenait avant tout à un moteur ultra-léger. L'invention du moteur à combustion interne avait résolu un problème essentiel.

David Jefferis, *Les Aviateurs de l'histoire et leurs machines volantes*,
Paris, Hachette Jeunesse, 1991.

Quelques dates...

En 1783, en France, les frères Joseph et Étienne Montgolfier lancent avec succès le premier ballon à air chaud.

En 1797, le français André Jacques Garnerin réussit le premier saut en parachute.

En 1852, l'ingénieur français Henri Giffard fait voler le premier dirigeable. Celui-ci était propulsé par de la vapeur.

En 1853, le pionnier britannique sir George Cayley teste un planeur monoplan.

Dans les années 1890, un ingénieur allemand, Otto Lilienthal, construit et fait planer l'ancêtre du deltaplane.

Le 17 décembre 1903, en Caroline du Nord (États-Unis), a lieu le premier vol de tous les temps d'un avion à moteur. Cet ancêtre des aéroplanes modernes a été construit par Orville et Wilbur Wright.

Comment fonctionnent les avions, adaptation française de Bruno Simon, Hemma, 1992.

5.2.1 a ▶

Question : Quel a été le premier avion ?

Réponse : Un planeur a été construit en 1804 par George Cayley. Le <u>Flyer</u> a été le premier avion à moteur. Il a décollé pour la première fois le 7 décembre 1903.

Source : David Jefferis, <u>Les Aviateurs de l'histoire et leurs machines volantes</u>, Paris, Hachette Jeunesse, 1991.

3. Sélectionne

Lis les documents appropriés à ton sujet de recherche.

4. Note

Note les réponses à tes questions et indique tes sources d'information.

5. *Rédige et révise*

Organise tes éléments d'information.
5.2.1 b ▶

Rédige un texte à partir de tes notes de recherche.

En classe, utilise un ordinateur si tu le peux. Lis ton texte à un ami ou à une amie.

M Je souligne les mots incertains.

P Je relis chaque phrase.

P J'accorde le groupe du nom.

A ▶

Quelle est l'idée principale de chaque paragraphe ?

Chaque phrase du paragraphe est-elle liée au sujet ?

6. *Présente ta recherche sous la forme d'une affiche*

Pour capter l'intérêt de tes lecteurs, utilise des papiers ou des cartons de différentes couleurs et de différents formats.

Mets le titre et les sous-titres en évidence. Illustre ton texte.

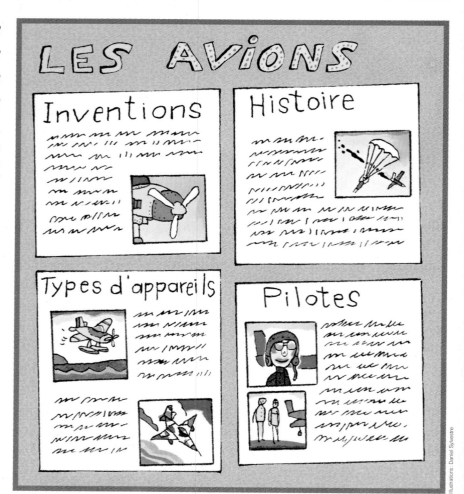

Illustrations : Daniel Sylvestre

Au sujet de...

Muscade, sais-tu pourquoi on fait des paragraphes quand on écrit?

Sans doute pour que les idées ne s'emmêlent pas comme les cordes de cette montgolfière!

Le paragraphe

1. Dans un paragraphe, il y a *un* sujet, *une* idée principale et *quelques* idées secondaires.

2. On trouve habituellement l'idée principale au début ou à la fin du paragraphe.

Les premiers aviateurs portaient des vêtements chauds pour se protéger du vent et du froid. Par exemple, l'aviateur Blériot portait une combinaison en coton ciré doublée de soie et de fourrure. Ses bottes fourrées de mouton étaient indispensables. Ses mains auraient vite gelé quand il était aux commandes, sans ses gants de cuir doublés de laine. Il portait aussi un casque de cuir doublé. Des lunettes noires protégeaient ses yeux du vent, de l'huile, du feu et de l'éblouissement.

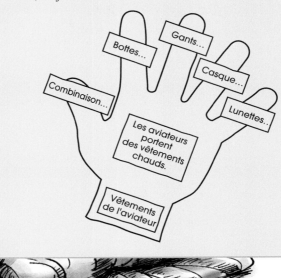

Bottes... Gants... Casque... Combinaison... Lunettes...

Les aviateurs portent des vêtements chauds.

Vêtements de l'aviateur

Illustration : Bruno St-Aubin

À l'essai!

Trouve le sujet, l'idée principale et les idées secondaires dans le texte qui suit.

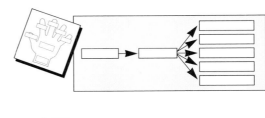

Au 15e siècle, Léonard de Vinci a été le premier à inventer une machine volante. Il a d'abord voulu prendre modèle sur les oiseaux. Cependant, il s'est rendu compte que les bras des humains étaient trop faibles pour permettre de voler. Il a donc imaginé des machines à battre des ailes, ou *ornithoptères*. Ces ailes étaient actionnées par les bras et les jambes. Léonard de Vinci n'a jamais construit ces machines, mais on en a trouvé des dessins dans ses carnets.

Illustration : Daniel Sylvestre

À ton tour !

1. Dans le texte suivant, trouve le sujet, l'idée principale et les idées secondaires.
   Complète un schéma semblable à celui qui suit.

Le *Boeing 747* est un avion gros-porteur, long-courrier. On l'appelle ainsi parce qu'il peut transporter plus de 400 passagers et voler pendant 12 heures sans refaire le plein. Dans cet avion, chaque rangée comporte dix sièges pour les passagers et deux allées qui leur permettent de circuler. Lorsqu'il est plein de carburant, ce gros avion pèse plus de 406 tonnes!

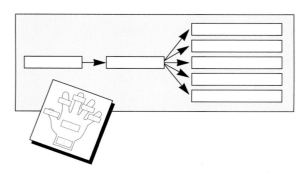

2. Choisis un des deux sujets proposés et rédige un court paragraphe à partir des idées mentionnées.

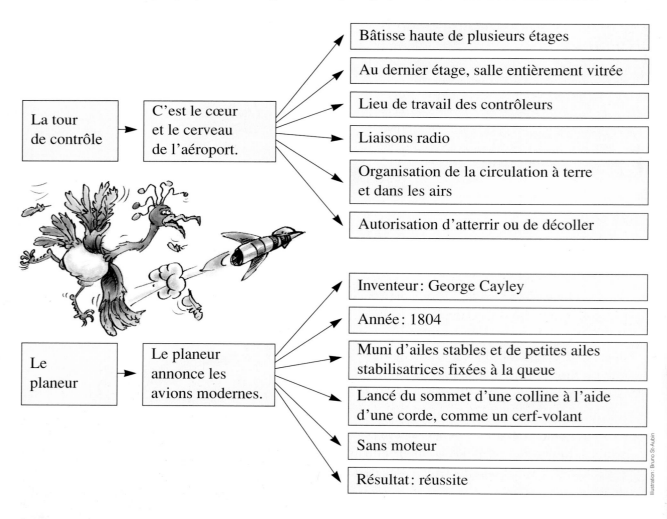

La tour de contrôle	→	C'est le cœur et le cerveau de l'aéroport.

- Bâtisse haute de plusieurs étages
- Au dernier étage, salle entièrement vitrée
- Lieu de travail des contrôleurs
- Liaisons radio
- Organisation de la circulation à terre et dans les airs
- Autorisation d'atterrir ou de décoller

Le planeur	→	Le planeur annonce les avions modernes.

- Inventeur : George Cayley
- Année : 1804
- Muni d'ailes stables et de petites ailes stabilisatrices fixées à la queue
- Lancé du sommet d'une colline à l'aide d'une corde, comme un cerf-volant
- Sans moteur
- Résultat : réussite

Illustration: Bruno St-Aubin

Tu n'y vas pas par quatre chemins !

Non, je vais droit au but, moi.

Aller

Présent de l'indicatif	Imparfait de l'indicatif	Futur simple de l'indicatif	Conditionnel présent
je **vais**	j' **allais**	j' **irai**	j' **irais**
tu **vas**	tu **allais**	tu **iras**	tu **irais**
il, elle **va**	il, elle **allait**	il, elle **ira**	il, elle **irait**
nous **allons**	nous **allions**	nous **irons**	nous **irions**
vous **allez**	vous **alliez**	vous **irez**	vous **iriez**
ils, elles **vont**	ils, elles **allaient**	ils, elles **iront**	ils, elles **iraient**

*Je **vais** maintenant à Baie-Comeau en bateau.*

*L'an passé, tu **allais** à Saint-Félicien en train.*

*Le mois prochain, elle **ira** à Saint-Siméon en avion.*

*Si nous avions le temps, nous **irions** à Hébertville en automobile.*

À l'essai !

1. Repère les formes du verbe *aller* dans le texte *Dodo dans le métro ?*. Classe-les dans un tableau.

Présent de l'indicatif	Imparfait de l'indicatif	Futur simple de l'indicatif	Conditionnel présent

Dodo dans le métro ?

Des centaines de Montréalais vont chaque jour d'un bout à l'autre de la ville sans mettre le nez dehors, ou presque. Sans le métro, ils iraient à pied, à vélo, en auto ou en autobus. Mais que se passe-t-il quand le métro ferme ses portes pour la nuit ?

À une heure du matin, à la station Rosemont, le concierge s'en va. Quelques minutes plus tard, des chiens, des souris, des chats et des rats surgissent.

« J'irais bien en métro, cette nuit, dit Rodolphe, le rat en chef.

– Tu iras seul ? demande un vieux chien, inquiet.

– Si nous allions avec toi ? proposent les chats.

– C'est bien, nous y allons tous. Dégagez les portes ! »

La rame de métro démarre. Si les humains savaient ça !

2. Complète les phrases suivantes en utilisant le verbe *aller* au temps approprié. Souligne le mot ou le groupe de mots qui t'indique quel temps utiliser.

Aller et retour

a) Tous les jours, il ✎ à Rimouski en taxi.

b) L'été dernier, Benoît ✎ au Casino en métro.

c) Nous ✎ à Blanc-Sablon en avion dans quelques mois.

d) Préparez vos bagages. Dès demain, vous ✎ à Saint-Alexis-des-Monts en camion.

e) Si l'heure de départ était changée, tu ✎ à East-Angus en autobus.

À ton tour !

1. Complète le texte en utilisant les verbes qui suivent.

irions   vont   aller   ira   allons   iras   irai   allait   vais

Simone rêve de voyager. Plus tard, elle *¹*(futur simple de l'indicatif) à la découverte de son pays à vélo. Selon elle, c'est la meilleure façon de voyager.

«En vélo? Quelle drôle d'idée ! Tu n'*²*(futur simple de l'indicatif) pas très loin comme ça !

– Au contraire. Mon cousin a parcouru le monde en vélo. Il *³*(imparfait de l'indicatif) où bon lui semblait. Les gens *⁴*(présent de l'indicatif) toujours si vite ! Avec un vélo, disait-il, je *⁵*(présent de l'indicatif) à mon rythme. Je m'arrête quand je veux. J'ai amplement le temps de voir défiler le paysage.

– C'est vrai que nous *⁶*(présent de l'indicatif) parfois sur les routes sans prendre le temps de regarder. Nous *⁷*(conditionnel présent) sans doute plus lentement en pédalant.

– Et si je veux *⁸*(infinitif) plus loin ou si je suis fatiguée, j'*⁹*(futur simple de l'indicatif) en train, en bateau ou en avion en emportant mon vélo avec moi. »

Pas si bête, finalement, l'idée de Simone !

2. À l'aide d'un élément de chaque case, compose cinq phrases différentes. Ajoute d'autres mots pour que tes phrases aient un sens.

autrefois	cet automne	vont	allais
si je pouvais	demain	allions	allons
l'année dernière	la nuit	iraient	va
bientôt	maintenant	iront	vas

Exemple :

La nuit, *mon chat Vitamine **va** dans le sous-bois derrière la maison.*

À vos marques !

1. À l'aide de ton dictionnaire, trouve des mots de la même famille que les mots donnés.
   Inscris tes mots dans les colonnes appropriées d'un tableau.

Nom	Verbe	Adjectif

   conduire   habiter   promener   rond   suivre   voyage

2. *Un* ou *une* ? Trouve le déterminant de chacun des moyens de transport.
   Au besoin, vérifie dans ton dictionnaire.

   avion   autobus   métro   bicyclette
   voiture   vélo   bateau   train
   automobile   navette spatiale   camion
   motocyclette   fusée   hélicoptère

3. Remplace la première syllabe du mot *promener* par une autre syllabe.
   Forme trois autres mots de cette façon.

Mot à mot

5.2.2 ▶

autour	habiter	rond	arrière
en avant	en haut	ronde	en arrière
en bas	avion	suivre	automobile
conduire	métro	voiture	camion
dessous	milieu	voyage	
dessus	au milieu	course	
entre	promener	bateau	

Illustration : Johanne Pépin

Délire de lire

À pied, à cheval, en fusée...

Comment les héros et les héroïnes de tes livres d'histoire voyagent-ils ?
Prépare un jeu d'association.

Noms des personnages et titres des livres	Moyens de transport
1. Yoko Tsuno, <u>Aventures électroniques</u>.	a) automobile (Camaro)
2. Rosalie, <u>Les Vacances de Rosalie</u>.	b) cyclomoteur
3. ...	c) ...

Illustration : Bruno St-Aubin

109

Eaux courantes, eaux stagnantes

Alain Parent

Je lis ce texte pour...

[?] • Quels types d'étendues d'eau connais-tu?

• Quelles étendues d'eau sont situées dans ta localité ou tout près? dans une autre localité ou une autre région?

• À ton avis, qu'est-ce qui distingue un lac d'une rivière? une rivière d'un fleuve? un fleuve d'un océan? un lac d'un océan?

[•••] • Pour décrire le paysage de ta région, apprends à reconnaître les différentes étendues d'eau. Cache le texte correspondant à chaque type d'étendue d'eau à l'aide d'une bande de papier. Décris dans tes mots ce que tu vois sur la photo, puis enlève la bande de papier et lis le texte.

L'hydrographie

Les étendues d'eau d'un territoire proviennent du sommet des montagnes et s'écoulent jusqu'à l'océan. On appelle *hydrographie* l'ensemble des étendues d'eau d'une région.

[T] Je lis les sous-titres.

Le ruisseau

Un ruisseau est un petit cours d'eau habituellement situé dans un creux de terrain. Le ruisseau naît d'une source. Il recueille l'eau de pluie et l'eau de la fonte des neiges.

Photo: Ministère du Tourisme

Les ruisseaux se jettent dans...

La rivière

Une rivière est un cours d'eau de moyenne importance. Certaines rivières du Québec dont le débit d'eau est très rapide servent à produire de l'hydroélectricité. Les eaux des rivières sont également utilisées pour approvisionner les maisons, les usines et les fermes. De plus, elles permettent de nombreux loisirs.

débit?

Je fais appel à mes connaissances.

Photo: Commission industrielle de la Montérégie

Les rivières se jettent dans...

Je me questionne.

Le fleuve

Un fleuve est un imposant cours d'eau. Au Québec, il n'y a qu'un fleuve: le fleuve Saint-Laurent. C'est une voie de navigation importante. Plusieurs ports sont établis sur ses rives, par exemple à Montréal, Québec, Port-Cartier et Sept-Îles.

imposant?

Le fleuve se jette dans...

L'océan

Un océan, ou *mer,* est une immense étendue d'eau salée. Les océans couvrent une grande partie de la surface de la Terre. Parfois, le long des côtes, la mer s'avance à l'intérieur des terres pour former un bassin plus ou moins large que l'on nomme *golfe.* Un bassin semblable, plus petit et plus étroit, est une *baie.*

P un bassin semblable?

Photo : Corel

Le lac

M plus ou moins?

Un lac est une étendue d'eau plus ou moins importante, quelquefois très profonde. L'eau d'un lac provient de ruisseaux ou de rivières et se jette dans une rivière ou un fleuve. Généralement, les eaux des lacs ont le même usage que celles des rivières, sauf en ce qui concerne la production d'hydroélectricité.

P celles?

L'étang

Un étang est un petit lac peu profond. L'eau d'un étang est souvent stagnante, c'est-à-dire qu'elle ne s'écoule pas.

 stagnante?

Photo: G. Lambert

Sélectionne...

1. Qu'as-tu appris dans ce texte sur les étendues d'eau?

2. Dans un tableau semblable au suivant, décris chaque étendue d'eau et mentionne dans quel cours d'eau elle se jette.

Étendue d'eau	Description	se jette dans...
Ruisseau		
Rivière		
Fleuve		
Océan ou mer		
Golfe ou baie		
Lac		
Étang		

Explique...

3. Quels moyens as-tu utilisés pour comprendre les mots *débit*? *imposant*? *plus ou moins*? *stagnante*?

4. À quelles connaissances ou expériences as-tu fait appel en lisant ce texte?

5. Que dois-tu faire pour comprendre l'expression *un bassin semblable*? le mot *celles*?

- Observe des photos d'étendues d'eau de ta région. Décris-les et porte attention à l'utilisation que les gens en font.

Je décris...

Le réseau hydrographique

Les ruisseaux, les étangs, les rivières, les lacs, les fleuves, les golfes, les baies et les mers sont reliés. Ces étendues d'eau forment un réseau hydrographique dans lequel les eaux s'écoulent des terrains élevés vers les terres basses.

On ne trouve pas nécessairement tous ces types d'étendues d'eau dans toutes les régions. Le réseau hydrographique de ta région comprend probablement des ruisseaux, des étangs, des lacs, des rivières et peut-être le fleuve Saint-Laurent ou l'océan Atlantique. De plus, il y a sans doute un grand nombre de localités de ta région situées le long d'une étendue d'eau. En fait, environ quatre Québécois sur cinq habitent une localité établie en bordure d'une étendue d'eau !

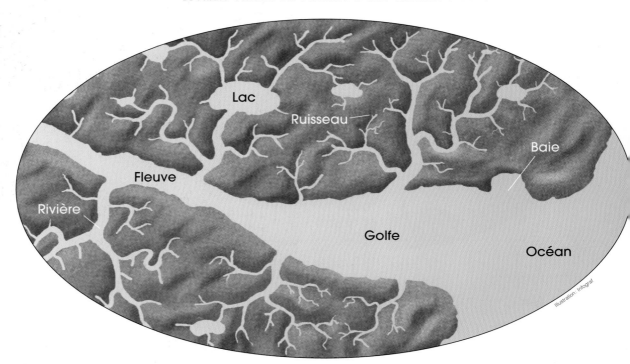

• Vers quelle étendue d'eau s'écoulent les cours d'eau de ta région ?

• Imagine qu'un petit bateau est déposé sur une étendue d'eau de ta région et emporté par le courant. À l'aide de la carte de ta région, réponds aux questions.

– Quelles étendues d'eau ton bateau suivra-t-il ?

– Quelle distance parcourra-t-il sur chacune d'elles ?

– Quelles localités croisera-t-il ?

Étendue d'eau	Distance (km)	Localités

Au fil de l'eau

- Parmi les cours d'eau mentionnés dans le tableau, lequel ou lesquels coulent dans ta région?

- Au Québec, plusieurs villes sont situées le long d'étendues d'eau. Dans ta région, quelles villes sont situées le long de rivières? le long du fleuve Saint-Laurent?

Photo: RNCAN

DANS TA RÉGION?

| **T** | Je lis les titres des colonnes. |
| **P** | Je transforme l'information du tableau. |

Le fleuve et quelques rivières du Québec

Étendues d'eau	Longueur	Principales villes situées sur le parcours de ces étendues d'eau
Fleuve Saint-Laurent	3 058 km	Montréal, Trois-Rivières, Québec, Lévis, Rivière-du-Loup, Baie-Comeau, Sept-Îles, Rimouski
Rivière des Outaouais	1 271 km	Hull, Gatineau
La Grande Rivière	893 km	Radisson, Chisasibi
Rivière Rupert	483 km	Waskaganish
Rivière Caniapiscau	800 km	Kuujjuaq
Grande Rivière de la Baleine	726 km	Whapmagoostui
Rivière Saguenay	160 km	Alma, Chicoutimi, Jonquière, La Baie
Rivière George	563 km	Kangiqsualujjuaq
Rivière Saint-Maurice	564 km	La Tuque, Shawinigan, Grand-Mère
Rivière aux Outardes	499 km	Chutes-aux-Outardes
Rivière Saint-François	280 km	Magog, Sherbrooke, Drummondville
Rivière Chaudière	188 km	Lac-Mégantic, Saint-Georges, Charny
Rivière Richelieu	128 km	Saint-Jean-sur-Richelieu, Belœil, Sorel
Rivière Matapédia	129 km	Amqui
Rivière des Mille Îles	40 km	Laval

! • Qu'as-tu appris sur l'hydrographie de ta région ? **P** Je précise.

• Indique si chacun des énoncés suivants est vrai ou faux.
  a) Il y a des rivières et des lacs dans ma région.
  b) Un cours d'eau traverse le territoire de ma région.
  c) Le fleuve Saint-Laurent borde ma région.
  d) Il y a une baie, un golfe ou un océan en bordure de ma région.
  e) Il y a au moins un lac artificiel ou un réservoir dans ma région.
  f) Des villes importantes de ma région sont situées le long d'un cours d'eau.

• Dans ta région, y a-t-il des lacs ? des réservoirs ? des rivières ? un fleuve ?
  une baie ou un golfe ? Indique leur nom et l'utilisation qu'on en fait.

  Exemple : Lac Memphrémagog : navigation de plaisance.

• Dans ton carnet de route, reproduis un tableau semblable à
  celui-ci et notes-y les traits physiques de ta région.

  Comment faire ?

Paysage				
Traits physiques				**Traits humains**
Relief	*Végétation*	*Hydrographie*	*Climat et faune*	
Plaine	Forêt mixte	Source		
Plateau	Forêt boréale	Ruisseau		
Colline	Forêt subarctique	Rivière		
Montagne		Fleuve		
Chaîne de montagnes		Océan ou mer		
Vallée		Golfe ou baie		
		Lac		
		Étang		

• Termine le logo de ta région en y ajoutant une forme représentant l'hydrographie.
  Présente-le aux autres élèves.

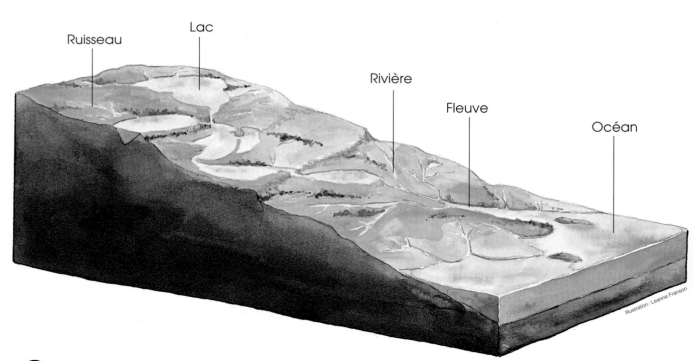

Ruisseau   Lac   Rivière   Fleuve   Océan

Illustration: Leanne Franson

Flot, il y a mieux à faire que de te lancer tête baissée dans ton projet !

Ah oui ? Quoi ?

Pour comprendre une tâche...

1. Observe...
   - les titres des colonnes ou des rangées,
   - les sortes de réponses à fournir,
   - les mots en **gras** ou en *italique*,
   - les exemples ou les réponses déjà fournies,
   - les consignes ou les questions.
2. Prévois...
   - le travail à faire.
3. Lis...
   - les consignes ou les questions.

P Je repère l'action à faire.

P Je repère le mot interrogatif.

T Je nomme le matériel nécessaire.

Illustration : Bruno St-Aubin

À l'essai !

En équipes de deux, observez et expliquez les tâches qui suivent.
Quels indices avez-vous utilisés pour comprendre les tâches ?

5.3.1 ▷

a)

Interprète les données.

– Quel jour a-t-on parcouru le plus de kilomètres ?

– Quel jour a-t-on parcouru le moins de kilomètres ?

– Quel jour a-t-on parcouru moins de 15 kilomètres ?

Randonnée à bicyclette

km parcourus	lundi	mardi	mercredi	jeudi	vendredi	samedi	dimanche

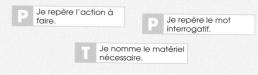

b)

Remplis ton bilan d'activités physiques.

Mon bilan d'activités physiques

Jour	Activités physiques	Durée des activités	Individuelles	En groupe	Activités modérées	Activités intensives	Appréciation
Jour 1							
Jour 2							
Jour 3							

L'escalier insolite

Michèle Marineau

- Des enfants vont visiter un appartement transformé en maison hantée pour la fête de l'Halloween. Découvre pourquoi Ludovic, Carmen, Mathilde et le narrateur ont eu peur dans l'escalier insolite menant à l'appartement. Toi, aurais-tu eu peur aussi?

J'invente des images et des bruits.

Deux semaines avant l'Halloween, c'était décidé : pas question de passer cette soirée à sonner à toutes les portes du quartier comme d'habitude. Mathilde, Carmen, Ludovic et moi avions le goût de faire quelque chose de différent. «Mais quoi?» a soupiré Ludo. Heureusement, j'avais quelque chose à proposer. «Mes cousines Andréanne et Simone transforment leur appartement en maison hantée. Nous pourrions y aller...»

Mes amis étaient emballés. Nos parents, beaucoup moins. Ils disaient que nous étions trop jeunes et que nous risquions d'avoir peur. Nous nous sommes entêtés, et ils ont fini par accepter. «À condition que vous soyez prudents», a précisé le père de Mathilde en nous laissant devant la maison. «Je viendrai vous chercher à 21 heures.»

Nous n'avions que deux heures devant nous, et ça nous semblait bien court. Mathilde a appuyé sur la sonnette, déclenchant un hurlement à nous glacer les sangs. «Drôlement réussis, les effets sonores, a murmuré Ludo en grimaçant un sourire. Ça promet...»

La porte s'est ouverte en grinçant. Dans la lueur du lampadaire, nous avons distingué des toiles d'araignées, un début d'escalier, mais rien de plus. «On ne voit pas grand-chose», a murmuré Carmen pendant que Ludo se raclait la gorge comme avant un exposé oral. J'étais moi aussi un peu hésitant. «Bon, a fini par dire Mathilde. On y va?»

Nous sommes entrés. Derrière nous, la porte s'est refermée avec un claquement sec. À présent, l'obscurité était totale. Une voix, au-dessus de nos têtes, nous a fait sursauter. Une voix rauque et sépulcrale. Une voix à nous faire dresser les cheveux sur la tête. «Bienvenue au royaume de l'Halloween, les amis. Je vous souhaite bien du courage pour affronter les créatures de l'ombre... et les êtres étranges qui peuplent la nuit. Brrr...»

Nous avons commencé à avancer à tâtons. Après nous être empêtrés dans des toiles d'araignées particulièrement gluantes («Beurk», a laissé tomber Mathilde d'une voix dégoûtée), nous nous sommes engagés dans l'escalier menant au deuxième étage. Une marche, deux, trois... Dans le noir, j'ai senti la petite main froide de Carmen se glisser dans la mienne. «J'ai peur de tomber», a-t-elle soufflé en guise d'explication. J'ai fait semblant de la croire.

Soudain, devant moi, Ludo a étouffé un cri. Quelque chose de poilu venait de lui frôler le cou! Carmen a gémi tout en me serrant la main plus fort. «Cet escalier ne finira donc jamais?» a demandé Mathilde d'une voix qui tremblait un peu.

Des ricanements sinistres ont fusé d'un peu partout. On aurait dit que des dizaines d'êtres malfaisants tourbillonnaient autour de nous, nous frôlant de leurs ailes noires, s'amusant de nous voir trébucher, riant de nos efforts pour paraître courageux.

Un éclair a percé l'obscurité, laissant entrevoir un pendu se balançant au bout d'une corde, un crâne abandonné sur une marche, une araignée monstrueuse… Nous nous tenions tous les quatre par la main, à présent. Les deux heures à venir nous semblaient soudain bien longues…

«Vous n'avez pas eu trop peur, j'espère?» J'ai levé les yeux. Ma cousine Andréanne se tenait devant la porte, en haut de l'escalier. «Le pire est passé. Maintenant, place aux plaisirs moins macabres...» ajouta-t-elle.

Une musique inquiétante flottait dans l'appartement; des sorcières, des squelettes et des fantômes peuplaient les lieux. Mais au moins, il faisait clair... ou presque. Carmen, Ludo, Mathilde et moi avons recommencé à respirer normalement. Au bout d'une demi-heure, nous arrivions à sourire. Et nous avons tous éclaté de rire, deux heures plus tard, quand le père de Mathilde est arrivé. À voir sa tête, on devinait qu'il avait eu encore plus peur que nous. Il faut dire qu'il n'avait personne pour lui tenir la main, lui.

M macabres?

Illustrations: Céline Malépart

Décris...

1. Fais une liste des éléments effrayants du récit *L'escalier insolite*.

Ce que les enfants...		
entendent	touchent	voient

2. Trouve une réaction de peur manifestée par chacun des quatre enfants dans l'escalier insolite.

Réagis...

3. Toi, qu'est-ce qui t'aurait fait le plus peur dans cet escalier insolite? Dis pourquoi tu aurais eu peur.

Explique...

4. Comment as-tu fait pour comprendre les mots et expressions *effets sonores*? *voix rauque et sépulcrale*? *en guise*? *macabres*?

5. Quels groupes de mots as-tu formés pour lire la longue phrase «On aurait dit que des dizaines d'êtres malfaisants ... pour paraître courageux.» (2e paragr., p. 120)?

Au sujet de...

Quelles régions connais-tu ?

Eh bien… Je connais des régions fantastiques, des régions imaginaires, des régions féériques, fabuleuses, extraordinaires…

Illustration: Bruno St-Aubin

L'adjectif

1. L'adjectif peut s'ajouter au groupe du nom. Il précise alors le nom. Il dit comment est… ou comment sont…

   *une musique **inquiétante***

2. C'est un mot qui s'accorde en genre et en nombre avec le nom.

   *la **petite** main **froide***

   *les **petits** pieds **froids***

3. L'adjectif peut être précisé à son tour par un adverbe.

   *une musique **très inquiétante***

   *l'araignée **la plus monstrueuse***

À l'essai !

1. Repère huit adjectifs dans ce texte.

Le sac à surprises

En cette soirée de l'Halloween, une petite bande de monstres sympathiques, de lutins moqueurs et de joyeux personnages se promènent sur le trottoir. Leurs vêtements multicolores égaient la rue. Tout ce beau monde marche rapidement en direction de la prochaine maison. Soudain, Alexandre pousse un cri terrifiant.

« Aaaah ! Mon sac de bonbons a bougé !

– Qu'est-ce que tu racontes ? dit Jules.

Illustration : Hélène Desputeaux

2. Fais une liste de tous les adjectifs qui contribuent à créer un climat effrayant dans le texte *Un escalier insolite*.

122

1. Vérifie si les noms en gras sont accompagnés d'un adjectif.
   Si oui, écris le groupe du nom et souligne l'adjectif.

   *Exemple : un **être** vivant*

Le sac à surprises (suite)

– Je vous le jure, un **être** vivant grouille dans mes bonbons ! s'écrie **Alexandre**. Ça recommence ! » Il fait un **mouvement** brusque et échappe son **sac** brun.

« Donne-le-moi. Je vais regarder à l'intérieur », dit le brave petit **Jules**.

Lentement, **Jules** ouvre le **sac**. Aaaah ! Il pousse un **cri** effrayant et tombe sur le **derrière** en voyant le **monstre** vert qui en sort.

« Une **grenouille** ! s'exclament les **enfants** en riant. Un charmant petit **batracien** était caché dans les **bonbons** d'Alexandre !

– Qui m'a joué ce mauvais **tour** ? demande **Alexandre**, encore sous le **choc**.

– C'était juste pour rire, répond **Mélanie** d'une **voix** douce. Allez, continuons notre **tournée** ! »

2. Trouve trois adjectifs pour décrire chacun des éléments mentionnés.
   Mettez ensuite vos réponses en commun et conservez votre liste.
   Elle sera utile lorsque vous écrirez des textes.

Une maison…	*Une rue…*	*Un parc…*
Un événement…	*Une journée…*	*Une rencontre…*
Une personne…	*Un ami…*	*Un père…*

3. Quel adjectif convient à chaque personnage?

Élodie Dominique Sarah Charles Benjamin Yasmina

4. Dans les phrases suivantes, repère les adjectifs qui précisent les noms en caractères gras. Si tu habites une métropole régionale, dis si chaque énoncé est vrai ou faux.

La métropole régionale

a) Notre **métropole** régionale est située dans un **espace** naturel spectaculaire: au bord d'un cours d'eau, dans une **vallée** magnifique.

b) La métropole est le **centre** nerveux d'un grand **nombre** d'**activités** économiques, sociales et culturelles.

c) On y trouve de nombreux **parcs** urbains. Des **personnes** affairées viennent s'y reposer quelques minutes. Des **enfants** turbulents profitent des **installations** récréatives.

d) La rue Principale offre une grande **variété** de boutiques et de restaurants.

e) Une **piste** cyclable a été aménagée autour de la ville et attire de nombreux **touristes**.

f) L'été, le **marché** ouvert régale les citadins et les visiteurs. Il offre un grand **choix** de **produits** frais et de nombreux **étalages** de poissons et de fromages, sans oublier les gerbes de **fleurs** odorantes.

5. Décris ce que tu vois d'une fenêtre de ta classe, de ta chambre ou d'une fenêtre imaginaire. Souligne tous les adjectifs utilisés.

La mode d'Halloween

Fabriquez un magazine de mode d'Halloween. Décrivez une variété de costumes : du plus étonnant au plus effrayant, du plus banal au plus extravagant, du plus vieillot au plus futuriste. Décrivez vos costumes de cette année, ceux des années passées ou ceux dont vous rêvez.

1. Planifie

Souviens-toi ou imagine…

Je vois...   Je dessine...   J'écris quelques mots...

2. Rédige

Décris ton costume avec précision. Insère une règle de sécurité dans ton texte.

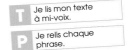

T Je lis mon texte à mi-voix.

P Je relis chaque phrase.

> Des bandes fluorescentes, cousues sur les manches de mon imperméable et le long de la fermeture éclair, aident les automobilistes à me voir. Ainsi, je suis protégé contre les accidents de la route. À l'intérieur de mon imperméable, une multitude de poches...

Illustrations : Céline Malépart

3. Révisez

P Je choisis des verbes originaux.

A ▷

Relisez vos textes.

La description des costumes permet-elle aux lecteurs de s'en faire une bonne idée ?

4. Diffusez

Reliez tous vos textes pour en faire un magazine de l'Halloween. Ajoutez des activités ludiques : mots croisés, mots cachés, farces, recettes à base de citrouille, etc.

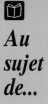

Au sujet de...

Que nous indique chaque partie d'un verbe?

De quelles parties parles-tu, Pastiche?

Illustration : Bruno St-Aubin

Faire

Présent de l'indicatif	Imparfait de l'indicatif	Futur simple de l'indicatif	Conditionnel présent
je **fais**	je fais**ais**	je fe**rai**	je fe**rais**
tu **fais**	tu fais**ais**	tu fe**ras**	tu fe**rais**
il, elle **fait**	il, elle fais**ait**	il, elle fe**ra**	il, elle fe**rait**
nous **faisons**	nous fais**ions**	nous fe**rons**	nous fe**rions**
vous **faites**	vous fais**iez**	vous fe**rez**	vous fe**riez**
ils, elles **font**	ils, elles fais**aient**	ils, elles fe**ront**	ils, elles fe**raient**

À l'essai !

1. Voici des expressions contenant le verbe *faire*.
   Choisis-en une et insère-la dans une phrase.
   Conjugue-la ensuite oralement au temps de ton choix.

   Exemple : Je fais les yeux doux à Dominique.

faire semblant

faire plaisir

faire confiance

faire son possible

faire les yeux doux

faire la tête

faire des histoires

faire à sa tête

faire à sa guise

faire pitié

faire peur

faire les cent pas

faire face

faire le ou la difficile

faire l'imbécile

faire le mort

faire de son mieux

faire les quatre cents coups

Illustration : Hélène Desputeaux

126

2. À l'aide d'un élément de chaque case, compose cinq phrases différentes.
   Ajoute d'autres mots pour que tes phrases aient un sens.

l'an dernier à l'Halloween
si je pouvais
présentement
chaque semaine
hier
le soir de l'Halloween
au cours des jours qui suivent
le soir

nous ferons
elles font
tu feras
je faisais
vous faites
je ferais
il faisait
vous ferez

À ton tour !

1. Repère les formes du verbe *faire* dans le texte *Les deux font la paire*.
   Classe-les dans un tableau.

Présent de l'indicatif	Imparfait de l'indicatif	Futur simple de l'indicatif	Conditionnel présent

Les deux font la paire

Roxane et Sébastien font un vacarme incroyable. Ils tentent de s'emparer d'un vieil habit rangé dans le placard du sous-sol.

« C'est moi qui le prends ! dit Sébastien.

– Non, c'est moi ! J'ai eu l'idée la première. Tu ferais mieux de te faire une raison ! » réplique Roxane.

Chacun tire de son côté et… crac ! le pantalon se déchire en deux. « Qu'est-ce que nous faisons maintenant ? demande Sébastien. Il se fait tard et nous n'avons rien à nous mettre sur le dos.

– Nous ferions mieux d'oublier l'Halloween pour cette année ! répond Roxane.

– Ne vous faites pas de mauvais sang ! dit la mère des enfants. J'ai peut-être une idée. Si je réussis, vous ferez sensation. En attendant, si vous faisiez la paix, ça m'encouragerait à travailler à votre costume. »

Une demi-heure plus tard, elle revient avec le vieil habit habilement transformé.

« Vous voilà maintenant frère et sœur siamois. Vous ferez un tabac avec cet accoutrement-là ! »

Illustrations : Johanne Pépin

2. Complète le texte en utilisant le verbe *faire* au présent de l'indicatif.

Pour la fête de l'Halloween

En prévision de la fête de l'Halloween, Valérie, Daniel et Pascal décident de fabriquer des décorations. Pendant ce temps-là, Geneviève ^{1}✎ semblant d'être un fantôme et se cache.

«Moi, je ^{2}✎ des guirlandes pleines d'araignées, dit Daniel. Le soir de la fête, ce sera amusant si nous ^{3}✎ jouer de la musique bizarre.

– Quelques-unes de tes araignées ^{4}✎ pitié, Daniel. Tu pourrais les dessiner un peu plus grosses, suggère Valérie.

– ^{5}✎ -tu des décorations pour placer dans les fenêtres ? demande-t-elle à Pascal.

Il n'a pas le temps de répondre. Geneviève surgit derrière les enfants en criant "Hou ! Hou !" Elle les ^{6}✎ tous sursauter.

– Tu ^{7}✎ la comique, Geneviève, commente Valérie. Aide-nous plutôt ! Il y a beaucoup à faire.

– Je vous apporte la citrouille que j'ai préparée, dit Geneviève en riant. Vous ^{8}✎ vraiment de belles décorations !

– Nous ^{9}✎ de notre mieux ! » répondent-ils en chœur.

Illustration: Céline Malépart

3. Choisis une des expressions suivantes et utilise-la dans une phrase.

se faire une raison   *faire sensation*   *faire un tabac*
se faire du mauvais sang   *faire la paix*

4. Écris la conjugaison du verbe *refaire* au présent de l'indicatif, sur le modèle du verbe *faire*.

À vos marques !

1. Trouve le contraire des verbes suivants dans la rubrique « Mot à mot ».

   a) reculer   *c*) laisser   *e*) douter

   b) chuchoter   *d*) sortir   *f*) partir

2. À l'aide des mots de la rubrique « Mot à mot », remplis un entrecroisé semblable à celui-ci. Recouvre la page de ton manuel d'un acétate.

   a) Contraire de *sécurité*.

   b) Marque la joie ou l'étonnement.

   c) Milieu de la nuit.

   d) Sentiment que l'on éprouve devant le danger.

   e) Son intense causé par la peur.

   f) Contraire de *devant*.

   g) Aller à l'intérieur.

   h) Parler fort.

   i) Féminin de *fou*.

   j) Séparé des autres.

   k) Penser que c'est vrai.

   l) Contraire de *gentil*.

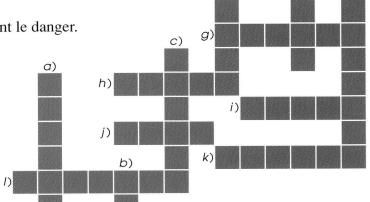

3. Dans la rubrique « Mot à mot », repère

   a) trois noms de lieux,   *c*) trois verbes,

   b) trois adjectifs au masculin,   *d*) trois noms au féminin.

Mot à mot

6.1.2 ▷

amusant	méchant	derrière
amusante	méchante	minuit
chaise	préparer	peur
chambre	salle	
château	seul	
crier	ah !	
croire	arriver	
cuisine	avancer	
entrer	amener	
fou	cri	
folle	danger	

Étienne et le fantôme

Sibyl Hancock

> • Découvre les péripéties de ce récit imaginaire. Prévois la suite de l'histoire chaque fois que tu vois le symbole ◆.

Dans un village d'Espagne, chaque veille de la Toussaint, depuis 50 ans, un fantôme revenait sur terre pour tenter de réparer une faute qu'il avait commise. Cette année-là, c'était sa dernière chance. S'il échouait, il hanterait le Château des Ombres pour toujours. Étienne, un joyeux artisan, avait entendu parler de cette histoire de fantôme. La veille de la Toussaint, il se rend au mystérieux village.

— 1 —

Au creux des collines dorées qui entouraient le village se dressait une sombre demeure. On l'appelait le Château des Ombres et on la disait hantée.

«Dites, c'est vrai ce qu'on raconte? Il y a un fantôme au château?

— Ça oui! dit une villageoise. On l'entend pleurer et gémir toutes les nuits.

— Chaque veille de la Toussaint, dit une autre, on voit une lueur effrayante qui tremblote sur le toit. Le propriétaire du château a promis mille pièces d'or à qui chassera le fantôme.

— Eh bien, Mesdames, moi, Étienne, je n'ai peur de rien. Je vais passer la nuit au château. Si je tiens compagnie au fantôme, peut-être pleurera-t-il moins fort!» ◆

Je prévois.

—— 2 ——

Quand Étienne arriva dans la cour du château, il faisait nuit noire et un vent glacial soufflait. Il entra dans la grande salle, avec son bois et ses provisions. Des chauves-souris qui dormaient sur les poutres s'envolèrent. Étienne alluma un feu dans l'énorme cheminée, et il soupira: «Voilà qui est mieux! Rien de tel qu'un bon feu pour chasser la peur!»

Étienne s'apprêtait à boire un peu de cidre quand une plainte lugubre résonna dans la cheminée: «Oh là là! Pauvre de moi! Oh là là!» gémissait la voix. Et sa plainte se répétait en écho dans la grande salle.

La voix se mit à crier, apeurée et tremblante: «Attention en bas, je tombe!» ◆

M poutres?

P Je reformule.

M satanés gredins?

Et un bel homme barbu, aux cheveux bruns bouclés, roula devant la cheminée. Tout courageux qu'il était, Étienne fit un pas en arrière : à présent se dressait devant lui un grand gaillard… qui n'avait vraiment rien d'un fantôme.

« De tous les hommes qui sont venus ici, pas un seul n'a pu rester en entendant mes gémissements. S'il te plaît, aide-moi, supplia le fantôme. Toi, tu peux sauver mon âme. Au pied d'un arbre, dans la cour, j'ai enterré un jour trois sacs remplis de cuivre, d'argent et d'or que j'ai volés à des brigands. Je n'avais pas plus tôt caché le trésor que les brigands m'ont retrouvé. C'étaient de satanés gredins : ils m'ont tué. »

Le fantôme continua : « Ils n'ont jamais retrouvé le trésor. Il faut que tu ailles le chercher. Tu donneras le cuivre à l'Église, l'argent aux pauvres du village, et tu garderas le sac d'or. Ainsi, j'aurai réparé ma faute et gagné ma place au paradis. »

Étienne eut pitié du fantôme et il le suivit dans la cour du château. Tous deux creusèrent, creusèrent, sous le vent et la pluie battante. Mais ils ne trouvaient pas le trésor… Le fantôme se remit à hurler, en renversant sa tête en arrière :

« Malheur, où est-il ? Je ne sais plus où je l'ai enterré ! Oooo-ooooh ! Il faut que je retrouve ce trésor !

– Arrête donc de brailler, dit Étienne sèchement. Ah ! si seulement la lune voulait bien se montrer, on y verrait un peu plus clair. ◆

– La lune! s'écria le fantôme. Ça y est, je me souviens! J'ai enterré le trésor près de l'arbre qui est au bord du bassin. Maintenant, je me souviens: la lune se reflétait dans l'eau!»

P Je reformule.

Il leur fallut très peu de temps pour déterrer les trois sacs, au pied de l'arbre, près du bassin.

Un éclair jaillit soudain, et le fantôme disparut, laissant tous ses vêtements, qui retombèrent sur le sol. Étienne entendit alors un tout petit tintement de cloche, et il comprit que le fantôme était entré au paradis.

M aube?

Dès l'aube du lendemain, les villageois arrivèrent au Château des Ombres. Ils virent Étienne qui sifflotait joyeusement, chargeant les trois sacs sur son âne. «Alors, vous êtes vivant!»

Étienne éclata de rire: «Je suis même un bon vivant! Et le fantôme est parti. Au revoir, je m'en vais chercher la récompense promise...»

Fidèle à sa promesse, il offrit le sac de cuivre à l'Église et le sac d'argent aux pauvres du village. Avec ses mille pièces et le sac d'or, Étienne vécut heureux pendant de longues années.

© Calligram, 1992.

Illustrations: Hélène Desputeaux

Prévois...

1. Que prévois-tu? Quel indice justifie ta prévision?

Partie de l'histoire	Après la lecture de chaque partie, tu prévois...	À ton avis, c'est ce qui va arriver parce que...

Découvre les personnages

2. Voici trois qualités d'Étienne: il est curieux, courageux et honnête. Que fait ou que dit Étienne pour manifester ces qualités?

3. Décris les traits physiques du fantôme.

4. Comment trouves-tu le personnage du fantôme? Sympathique? Effrayant? Pourquoi?

Réagis...

5. Pourquoi est-il impossible que cette histoire arrive dans la réalité? Trouve au moins deux éléments invraisemblables dans ce récit.

6. Quel récit préfères-tu: *L'escalier insolite* ou *Étienne et le fantôme*? Pourquoi?

Explique...

7. Comment as-tu fait pour comprendre les mots *poutres*? *satanés gredins*? *aube*?

8. Reformule dans tes mots les parties de phrases «*Tout courageux qu'il était...*» (3e partie), «*Je n'avais pas plus tôt caché le trésor...*» (3e partie), «*Il leur fallut très peu de temps...*» (4e partie).

9. À quoi servent les verbes à l'imparfait de l'indicatif dans ce texte?

Pourquoi faire une révision ?

Parce que ça permet de se rappeler tout ce que l'on sait !

Consulte la *Liste des notes* pour trouver les notes grammaticales portant sur le nom, l'adjectif, le verbe, le pluriel des noms et les tableaux de conjugaison.

Illustration : Bruno St-Aubin

1. Lis le texte suivant et note l'information que tu trouves la plus surprenante.

La photo de fantôme

En 1919, une mystérieuse photo de fantôme paraît dans les journaux. Sur cette photo, on voit un homme pensif. Tout près de lui se tient une fillette. L'enfant a un bouquet de fleurs et une lettre dans ses petites mains. L'homme prétend qu'il s'agit du fantôme de sa fille morte depuis trente ans. Enfin, une authentique photo de fantôme ! pense-t-on. Plusieurs années plus tard, on découvre que la photographie a été truquée. Les fantômes n'existent pas !

Illustration : Leanne Franson

2. Démontre tes connaissances.

a) Dans le texte *La photo de fantôme*, trouve trois noms, trois adjectifs, trois verbes et trois déterminants.

b) Quel groupe du nom est formé avec le mot *journaux*? le mot *mains*? le mot *fantômes* [dernière phrase]?

c) Mets au singulier les trois groupes du nom que tu viens de trouver.

d) Trouve deux mots de la même famille dans le texte.

3. Mets les verbes suivants à l'infinitif.

on voit   *on découvre*   *ils existent*

4. Mets les groupes du nom suivants au masculin.

une Canadienne   *une Italienne*
une Allemande   *une Montréalaise*

5. Mets les groupes du nom suivants au pluriel.

un drapeau   *un pays*   *un ami*   *un travail*

6. Conjugue au présent de l'indicatif les verbes *être* et *avoir*.

7. Rédige quelques phrases pour exprimer tes goûts.
Depuis le début de l'année, quelle a été ton activité préférée dans *Mémo 4*?
Pourquoi? Quelle a été ta découverte la plus importante?

Illustration : Johanne Pépin

Délire de lire

À la recherche de bibliothécaires

La bibliothécaire est en congé pour la semaine.
Ta classe est choisie pour la remplacer. Pour
l'Halloween, suggérez des livres sur les châteaux,
les déguisements, les masques, les fantômes, les
sorcières et mille autres sujets fantastiques!

Illustration : Bruno St-Aubin

Une peur

J'ai peur des araignées.

J'ai peur que mes parents se séparent.

J'ai peur du tonnerre.

J'ai peur d'échouer à mes examens.

Raconte une peur que tu as vécue et les solutions que tu as trouvées pour la combattre.

- Quelles peurs as-tu déjà ressenties?

- Parmi ces peurs, laquelle te semble la plus intéressante à raconter?

1. Prépare-toi

Note brièvement ce dont tu vas parler

[6.2.1 a] ▷

Ta peur :

Les circonstances (la première fois que tu as ressenti cette peur)

Avec qui :

Quand :

Où :

Cause de la peur :

2. Écoute, note et réagis

6.2.1 b ▶

Élève	Peur	Solutions	Ta réaction

 Je pose des questions.

- Quelles sont les peurs les plus fréquentes des élèves de ta classe?

 • Que fais-tu pour te détendre dans les moments stressants ou inquiétants?

• Choisis une activité de détente que tu feras régulièrement au cours des prochaines semaines.

JE ME DÉTENDS

Nom des élèves	Activité	Fréquence
Noémie	jouer dehors	tous les jours
Antoine	raconter des histoires drôles	deux fois par semaine
Jérémie	aller marcher avec ma mère	une fois par semaine

Illustrations: Céline Malépart

Les châteaux forts

- Qu'aimerais-tu savoir sur les châteaux forts? Prépare six questions portant sur ce sujet. Penses-tu que le texte répondra à tes questions? Pourquoi?

Tes questions	Tes anticipations	
	Tu trouveras la réponse...	à cause de...
1. Avec quels matériaux fabrique-t-on les châteaux forts?	Oui	À cause du sous-titre «Comment construisait-on un château fort?»

- Lis le texte pour trouver des réponses à tes questions.

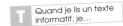
Quand je lis un texte informatif, je...

La plupart des châteaux forts ont été construits en Europe, entre les années 900 et 1500. Les premiers châteaux forts étaient de simples tours en bois. Comme ces tours ne résistaient guère à l'ennemi, les châteaux sont devenus, avec les années, de plus en plus vastes et fortifiés. Ils méritaient alors bien leur nom.

Pourquoi construisait-on des châteaux forts?

Au Moyen Âge, des guerriers envahissaient et ravageaient les campagnes et les villages. Ils étaient à la recherche de richesses ou de nouveaux territoires. Pour se protéger, les seigneurs se sont fait bâtir des châteaux. Avec leurs valeureux chevaliers, les seigneurs leur? défendaient les paysans qui, en échange, travaillaient pour leur fournir de la nourriture et des vêtements.

Où construisait-on les châteaux forts?

Les châteaux forts devaient permettre de voir arriver les ennemis de loin. De plus, il fallait les bâtir dans des lieux très difficiles à atteindre pour les attaquants. On trouvait donc des châteaux forts sur des 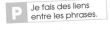 Je fais des liens entre les phrases. montagnes aux pentes abruptes, d'autres sur des îles, au milieu de lacs. Certains, construits dans la plaine, étaient entourés d'un fossé creusé par des paysans. Lorsque le fossé est rempli d'eau, c'est une douve? *douve.*

Comment construisait-on un château fort?

Dans le château, tout était bâti en fonction de la nécessité de se défendre contre l'ennemi. Les murs, les tours, les entrées, tout était organisé pour se protéger. D'épaisses et hautes murailles à créneaux entouraient le château fort. Ces murailles pouvaient avoir plus de trois mètres d'épaisseur. Au sommet des murailles se trouvait le chemin de ronde, c'est-à-dire le couloir que les gardiens empruntaient pour surveiller les environs. En cas d'attaque, ils visaient les soldats ennemis à travers les créneaux.

M empruntaient ?

Dans les tours ou les murailles, il y avait parfois des ouvertures très étroites. Elles étaient juste assez grandes pour permettre aux gardiens de bien voir au loin et aux archers de viser avec leur arc. Ces fentes s'appelaient des *archères* ou des *meurtrières*.

Les entrées du château étaient peu nombreuses et très protégées. Une passerelle ou un pont-levis permettait de franchir le fossé. Lors des attaques, les gardes relevaient le pont-levis et abaissaient une lourde grille, la *herse*.

M herse ?

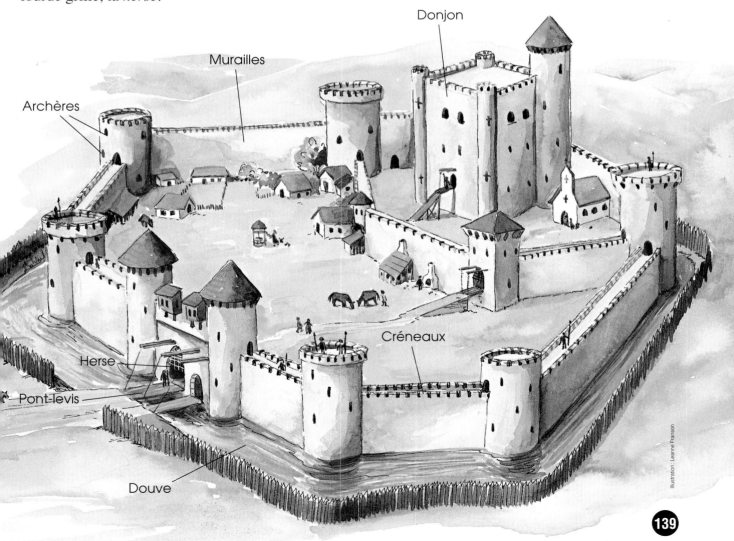

Donjon

Murailles

Archères

Herse

Pont-levis

Créneaux

Douve

Illustration : Leanne Franson

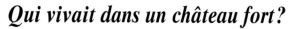

Qui vivait dans un château fort ?

À l'intérieur des murailles, on trouvait souvent un véritable petit village avec des chaumières, une écurie, une étable, des ateliers, des potagers, des jardins, des puits, une place centrale, une chapelle et, bien sûr, un donjon. Il y avait donc beaucoup d'habitants : des marchands, des boulangers, des forgerons, des paysans, des serviteurs ainsi que des chevaliers et des soldats. Les seigneurs et leurs dames habitaient la construction la plus haute et la mieux protégée, le *donjon*.

Qu'est-il advenu des châteaux forts?

Lorsque les guerres ont pris fin, le château fort a perdu son rôle. Certains ont été abandonnés, d'autres ont été transformés en prisons ou en entrepôts. Les châtelains se sont construit de nouvelles demeures plus confortables et plus modernes. On a ajouté des fenêtres et embelli les châteaux forts. On a aménagé l'intérieur en décorant les chambres de grands miroirs, de meubles élégants, de tableaux et de sculptures. Les châteaux forts sont alors devenus des résidences somptueuses ou des palais luxueux plutôt que des forteresses imprenables.

> **M** ont pris fin?

Avec le temps, la plupart des châteaux forts sont tombés en ruines. Certains ont cependant été restaurés et, aujourd'hui, on peut les visiter. Ils abritent des musées, des galeries d'art, des restaurants. D'autres sont simplement de magnifiques ruines, vestiges du passé…

> **M** abritent?

Sélectionne…

1. Quelles réponses à tes questions as-tu trouvées dans le texte? Quelles questions sont demeurées sans réponse?

2. Quelles autres découvertes as-tu faites à propos des châteaux forts?

Réagis…

3. Selon toi, quelle information est la plus intéressante? la plus étonnante? la plus difficile à comprendre?

Explique…

4. Comment les illustrations t'ont-elles permis de comprendre les informations du texte?

5. Comment as-tu fait pour comprendre le sens des mots *douve*? *empruntaient*? *herse*? *ont pris fin*? *abritent*?

6. Quel mot de relation y a-t-il entre les deux premières phrases de la partie «Où construisait-on les châteaux forts»? entre la troisième phrase et les deux premières phrases de cette partie?

7. Dans ce texte, trouve une énumération de personnes et une énumération de lieux.

Au sujet de...

Savais-tu que tu peux trouver des définitions ailleurs que dans un dictionnaire?

Ah oui?
Où ça?

Des définitions dans un texte

Une définition accompagne parfois un mot inconnu dans un texte.

a) *Quand le fossé est rempli d'eau,* **c'est** *une douve.*

b) *… le chemin de ronde,* **c'est-à-dire** *le couloir…*

c) *Ces fentes* **s'appelaient** *des archères.*

d) *… les gardes […] abaissaient une lourde grille, la herse.*

Illustration : Bruno St-Aubin

À l'essai!

Trouve dans le texte les définitions des mots en caractères gras et associe chaque définition à l'un des exemples de la note de lecture.

L'habillement d'un chevalier

Le chevalier peut mettre une heure à revêtir son armure, qu'on appelle aussi **harnais**. Il met d'abord son **gambison**. C'est un vêtement matelassé doublé de satin, qui peut absorber les coups de l'ennemi. Il porte aussi un pantalon de laine peignée, le **haut-de-chausses**. Puis il revêt une **cotte de mailles**, c'est-à-dire une tunique faite d'un assemblage d'anneaux métalliques. Il met ensuite les différentes parties de son armure : les cuissards, les solerets, les grèves, la cuirasse et les brassards. Toutes ces pièces sont attachées avec des lacets de cuir.

Sur la tête, le chevalier met d'abord un bonnet matelassé, puis il recouvre sa tête et son visage d'un casque de métal, le **heaume**. Le chevalier porte un **surcot** par-dessus son armure. C'est une légère tunique qui le protège du soleil. En effet, le métal peut devenir très chaud sous le soleil.

On pourrait croire qu'ainsi vêtu, le chevalier ne peut plus guère bouger, mais ce n'est pas le cas. Les joints de son armure sont si bien assemblés qu'il peut bouger facilement.

Illustration : Leanne Franson

Remémore-toi...

ce que tu as découvert en sciences durant l'étape

Septembre	Octobre	Novembre

 • Sur la carte de ta région, quel symbole représente...
- l'eau?
- une localité?
- la métropole régionale?
- une autoroute?
- un lieu touristique?
- une limite?

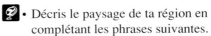

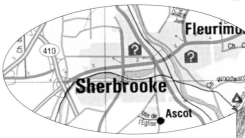

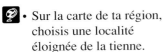 • Sur la carte de ta région, choisis une localité éloignée de la tienne.
- Situe-la par rapport à la tienne à l'aide des points cardinaux intermédiaires.
- Calcule la distance en kilomètres séparant cette localité de la tienne, à vol d'oiseau.

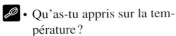 • Qu'as-tu appris sur la température?
- Comment lit-on la température sur un thermomètre?
- Qu'est-ce que le vent?
- Comment donne-t-on la direction du vent? sa vitesse?

• Décris le paysage de ta région en complétant les phrases suivantes.
- Le relief de ma région est constitué de...
- C'est à cause du relief qu'on peut y pratiquer les activités suivantes:
- Voici le nom de quelques étendues d'eau:
- Certaines d'entre elles servent à...

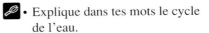 • Explique dans tes mots le cycle de l'eau.
- Qu'est-ce qu'un nuage? une précipitation? la condensation? l'évaporation? le brouillard?
- Sous quels aspects se présente l'eau à l'état solide? à l'état liquide?

Liste des notes

Illustration : Bruno St-Aubin